JN064634

カットバン？
バンソウコウ？
HEART？
パパは？
3776m？
宇田川勝司
Katsushi Udagawa
謎解き日本列島
全国各地の地理・歴史文化のナゾに迫る！
モーニング
AME-CHAN
福
福
福
焼酎

ベレ出版

はじめに

南太平洋に〝ニウエ〟という小さな国がある。ニウエは日本も承認している歴とした独立国だが、この国の名を知っている日本人はほとんどいないだろう。ほんの数年前までは中学や高校の授業で使う地図帳にすら記載されていなかった。西表島（沖縄県）より少し小さなサンゴ礁の島で住民はわずか１５００人ほど、バチカンを除き、人口は世界最少である。

一方、日本の国土面積は36・８万㎢、１９７ヵ国中第61位で、なんとニウエの約１５００倍の広さだ。日本は狭い国だと思われがちだが、実は、世界には日本より狭い国が１３０以上もある。そのうち北海道より狭い国は82ヵ国もあり、ニウエより狭いミニ国家も、世界にはまだ7ヵ国もある。ロシアやアメリカなどの大国と比べるので、日本が狭い国のように勘違いしてしまっているのだ。

沖縄は、冬でも雪が降らず、ハイビスカスが咲いてサンゴ礁の海が広がり、北海道は、冬には気温がマイナス20℃を下回り、オホーツクの海岸が流氷で埋め尽くされる。亜熱帯から冷帯まで、一国の中でこれほど多彩な気候が見られる国は、世界でも数少ない。数字で見ると、日本列島は南北が３２９４km、東西が３１４２kmで、これはヨーロッパの東に位置するロシアの首都モスクワから、ベラルーシ、ポーランド、ドイツ、フランス、スペインなどを経て、ヨーロッパ大陸の西端ポルトガルの首都リスボンまでの距離にほぼ相当する。ホントは、多くの人が思っているより日本は広く、山々や川などの自然、動植物、人々の生業（なりわい）や暮らしなど、どの国にも増して変化に富んだ国なのである。

そのような日本だからこそ、謎や不思議もまた多い。なぜ、中部地方だけに３０００ｍを超える高い山々が連なっているのだろう？　コシヒカリやあきたこまちなど人気のブランド米が寒冷地に多いのはなぜ？　芸能界にはどうして沖縄出身の人が多いのか？　そんなことを今まで気にしたことはないが、気づいてしまうと気になって仕方がない。本書は、誰でも感じることのある日本各地のそんな些細な謎に焦点を当ててみた。

２０１４(平成26)年、私は『なるほど日本地理』をベレ出版さんより刊行させていただいた。幸いにも好評をいただき、発売以来、毎年増刷を重ねている。筆者としてまことに嬉しい限りだ。『なるほど日本地理』は、大阪府はなぜ大阪県ではないのか？　梅雨・台風・黒潮などの語源は？　和牛と国産牛の違いはナニ？　そんな誰もが知っている身近な言葉に関する謎解きをテーマとしたが、本書は、日本各地の光景や地図の中に隠れた不思議、日本各地の人々の生活や文化の中に見つけた疑問など、日本各地の様々な事象に潜む謎解きがテーマである。狭いようで実は広い日本、南から北まで日本列島には不思議や驚きがたくさんあり、知れば知るほどおもしろく、新しい発見や感動がある。この本でそんなおもしろさや楽しさを知り、我々の暮らす日本という国についてさらに関心を広げていただければ幸いである。

２０２０年３月　　宇田川勝司

目次

第1章 全国各地の地図にまつわる謎

第2章 全国各地の風景・光景にまつわる謎

第3章 全国各地のモノにまつわる謎

第4章 全国各地の人々にまつわる謎

第１章

全国各地の地図にまつわる

01

NAZOTOKI

47都道府県にまつわる謎

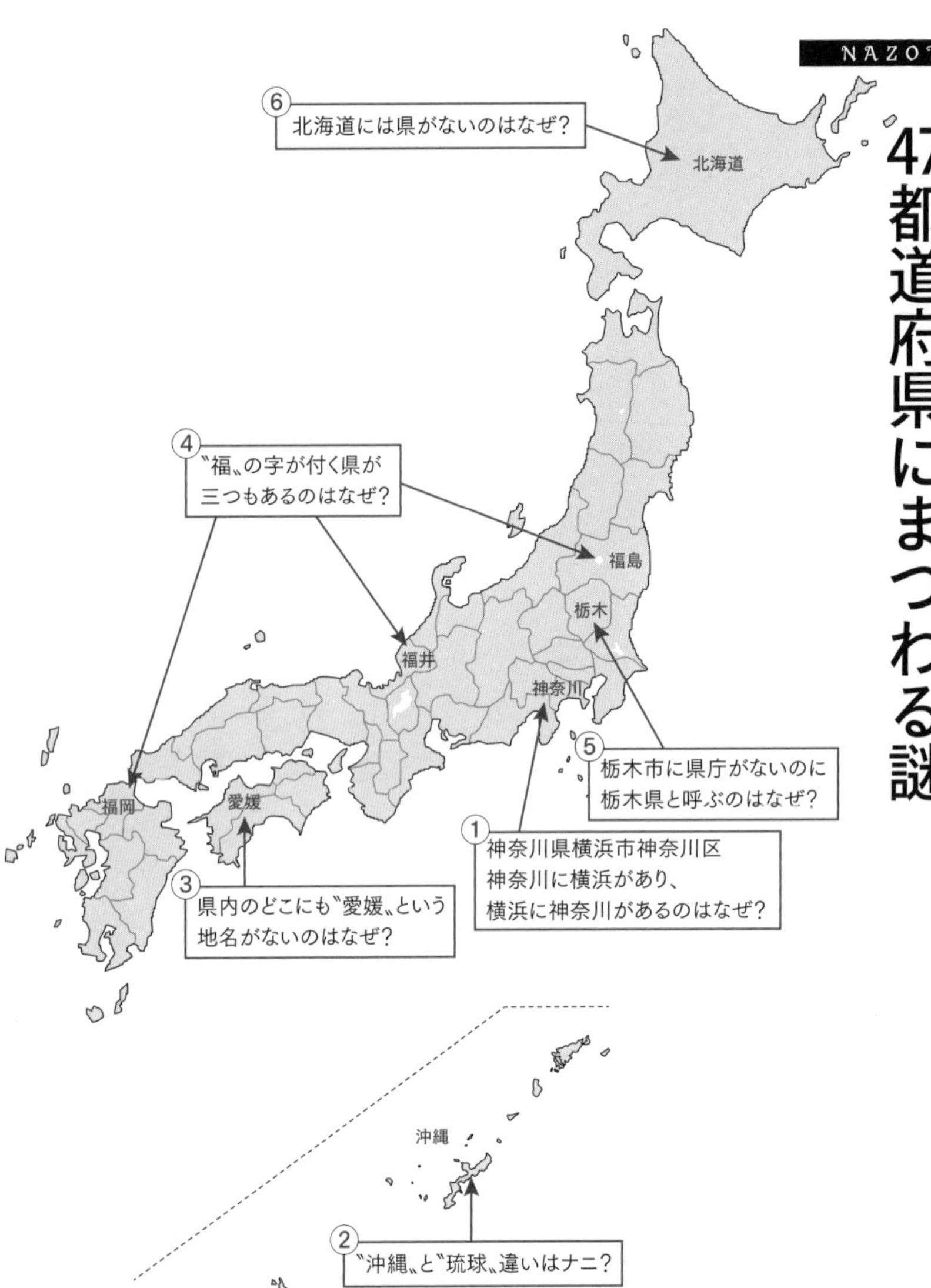

①
神奈川県横浜市神奈川区
「神奈川」に「横浜」があり、
「横浜」に「神奈川」があるのはなぜ？

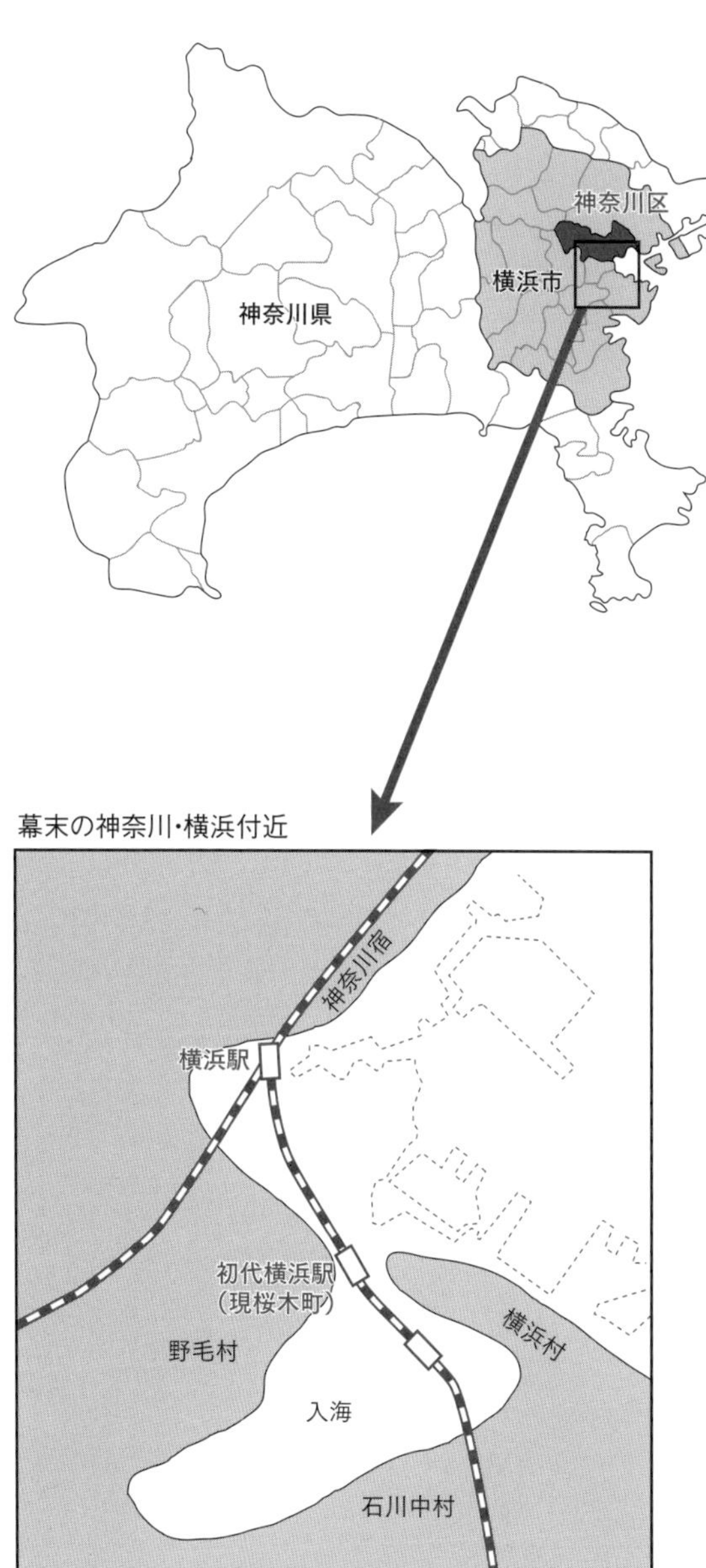

人口920万の**神奈川県**の中に、人口370万の県庁所在地**横浜市**があることは誰もが知っている。しかし、横浜市の中に**神奈川区**があることは、地元でなければ知らない人が多い。神奈川県＞横浜市＞神奈川区、このややこしい関係はどういうことなのだろうか。

歴史をたどれば、神奈川と横浜は異なる場所、まったく別のところにあったことがわかる。**神奈川**は日本橋を出て東海道五十三次の3番目、旅籠(はたご)数約60軒、戸数約1600戸の東海道でもっとも栄えた宿場の一つであったが、**横浜**は神奈川とは入り江を挟んで対岸の位置にあり、幕末までは戸数80戸ほどの半農半漁の寒村に過ぎなかった。1858（安政5）年、日米修好通商条約が締結され、神奈川を開港することが決まるが、江戸と陸路で直結する東海道の要所であり、人口の多い神奈川に外国人がやって来るようになれば、治安面が懸念され、幕府は急遽、三方を海で囲まれた横浜村を開港場とする。これに対し、諸外国からはなぜ開港地が神奈川ではないのかと抗議があったが、幕府は神奈川と横浜の中間の野毛村に設置した役所を「神奈川奉行所」とし、横浜は神奈川の一部だと主張して終息を図った。

明治になると、神奈川奉行所は「神奈川裁判所」と改称されるが、当時の裁判所の機能は行政機関であり、実質的に現在の県庁に相当する。その後、神奈川裁判所は「神奈川府」さらに「神奈川県」へと改称され、廃藩置県後には「神奈川県」の呼称が定着する。

一方の横浜は、開港後、入り江は埋め立てられて区画整理され、外国人居留地が開設されると急速に都市化が進む。明治に入ると人口は10万人を超え、1889（明治22）年には横浜市に昇格し、新橋—横浜間に鉄道が開通すると、県名は神奈川ではあっても神奈川と横浜の地位は完全に逆転する。神奈川は当時は橘樹郡神奈川町だったが、１９０１（明治34）年、横浜市に編入され、その後、区制が施行されると横浜市神奈川区となった。

兵庫県と**神戸市**の場合も事情はよく似ている。本来は、南北朝の古戦場としても知られる湊川を挟んで、西側が**兵庫**、東側が**神戸**であり、現在もＪＲには兵庫駅と神戸駅がある。神戸の由来はP.50に詳述するが、早くから発展していたのは兵庫で、平安時代末に平清盛が大輪田泊として修築し、日宋貿易の拠点として栄える。その後は「兵庫湊」と呼ばれ、室町時代には日明貿易、江戸時代には西廻り航路の拠点として繁栄した。幕末には、この兵庫が日米修好通商条約の開港地に指定されるが、神奈川の場合と同じような事情で、実際に開港されたのは神戸であった。しかし、兵庫奉行所が設置され、それが明治になると兵庫裁判所、さらに兵庫県と改称される過程も神奈川県の場合とほとんど同じである。開港後、神戸が近代港湾として整備が進むと人口が増え、やがて神戸市が誕生し、兵庫は神戸市内の区の一つとなる。その後、横浜と神戸が日本の東西を代表する国際貿易港として発展し、今日の隆盛を誇っていることは言うまでもない。

②「琉球」と「沖縄」──その違いはナニ？

「琉球新報」と「沖縄タイムス」、「琉球放送」と「沖縄テレビ」、「琉球銀行」と「沖縄銀行」、「琉球大学」と「沖縄大学」、沖縄では各分野を代表する企業の名称に、申し合わせたかのように、〝**琉球**〟と〝**沖縄**〟という地名がペアのように語頭に付けられている。現在の県名は「**沖縄県**」だが、復帰前の米軍統治下の行政機構は「**琉球政府**」だった。〝琉球〟と〝沖縄〟、なぜ二つの呼称があるのだろうか。

どちらも古くからある言葉だが、歴史的に見ると琉球は中国から、沖縄は日本からこの地域の呼称として使われてきた。琉球は、7世紀に編纂された中国の国史である『隋書倭国伝』の中に、「流求」という表記で初めて登場する。しかし、これが現在の沖縄を指した地名かどうかは不明で、台湾なども含め、東シナ海の島々全体を「流求」と呼んでいたという説もある。明の時代には沖縄を「大琉球」、台湾のことを「小琉球」と区分していた記録も残る。

1429年に、沖縄本島を中心に最盛期には奄美群島から石垣島など先島（さきしま）諸島にまで勢力を広げた**琉球王国**が出現する。この王朝が琉球と称したのは、当時は日本より中国との結びつきが強かったからであろう。しかし、江戸時代になると、琉球王国は薩摩藩の侵攻を受け、明のちには清の朝貢国でありながら薩摩の従属国となる。そして、明治維新後、新政府は琉球王国を完全に日本の領土に組み入れるため、まず、国王を藩王、琉球王国を琉球藩と改称させ、さらに藩王を東京へ移して侯爵に叙し、琉球藩を廃止して**沖縄県**を設置する。県名を琉球ではなく、沖縄としたのは、清の宗主権を完全に排除する意図であろう。

「おきなわ」という呼称は、日本ではかなり古くから使われていた。古い記録では、奈良時代の遣唐使関連の文献に「阿児奈波」という表記が見られ、漢字の「沖縄」は、江戸時代中頃に著された『南島誌』に初めて登場する。「おきなわ」の語源には様々な説があるが、沖縄の方言「**ウチナー**」が有力だ。沖縄の人たちは、沖縄と書いて「ウチナー」と読むが、ウチナーという言葉は、もともと沖縄本島のことを指し、本島とその周辺の離島で使われていた言葉だ。本島の北に位置する与論島や沖永良部島（おきのえらぶじま）の人たちは「ウクナ」あるいは「ウフクナ」、南の先島諸島の人たちは「ウキナー」などと本島のことを呼んでいた。それらの意味は「大きな島」つまり、沖縄本島がこの海域の島々の中で、ずば抜けて大きな島であったことからそう呼ばれたのではないだろうか。

なお、米軍統治時代、行政機構の名が沖縄政府ではなく琉球政府だったのは、アメリカが沖縄は日本の統治ではないぞということを強調したかったのだろう。そして、その統治方針に基づき、設置されたのが琉球銀行や琉球大学、沖縄電力の前身の琉球電力などである。

余談だが、台湾の台北空港では沖縄を表す漢字表示はすべて琉球である。また、中国には「日本人が不法に占領した琉球を沖縄と呼ぶべきではない」と主張する人たちがいるという。沖縄県民の一般的な見解はもちろん「琉球も沖縄も日本」である。

③ 愛媛県には県内のどこにも「愛媛」という地名がないのはなぜ？

愛媛は英訳すると「Love Princess」、これがかっこいい、ステキだとSNSで話題になったことがある。確かに東京ならば「East Capital」、大阪は「Big Slope」、これでは直訳しただけで素っ気ない。「愛らしいお姫様」を意味するこの「愛媛」という県名にはどのような由来があるのだろうか。

1871（明治4）年、明治政府は廃藩置県を断行し、その後、紆余曲折を経て1888（明治21）年にはほぼ現在と同じ3府43県の府県制が確立する。当然、新たに発足したこれら多くの県は、県名を決めなければならなかったが、その際の政府の基本方針は、県名と県庁所在地名を一致させること、それが都市名であったり、郡名であったり不徹底ではあったが、それでも現在の都道府県名のほとんどはそのどちらかに決められた。しかし、愛媛という名の都市や郡は愛媛県内のどこにもなかったのだ。

廃藩置県後、旧伊予国（現愛媛県域）には北部に「松山県」、南部に「宇和島県」が設置される。翌年、松山県は「石鉄県」、宇和島県は「神山県」と改称するが、2年後の1873（明治6）年には両県が合併し、伊予全域が一つとなって新しい県が誕生する。⑤項の栃木県のように、二つの県が合併して一つになったとき、県名をどうするか、県庁をどこに置くのか、多くの県では対立や諍いが起こりがちだ。しかし、愛媛県では、県外の出身であった県令をはじめ新しい県の幹部は、県庁から旧藩旧県の役人を締め出し、しがらみのない県づくりを目指し、県名も県内の特定の地名を使うことを避けたのである。もっとも、県庁所在地の松山があるのは温泉郡、郡名を採用すると温泉県、いくら天下の道後温泉があるとはいえ、温泉県ではいささか厳かさに欠けるという役人らしい判断もあったかもしれない。

「**愛媛**」という名は古事記の国生み神話に登場する伊予国を守った「**愛比売**（えひめ）」という女神に由来する。〝え〟は「愛らしい」、〝ひ〟は太陽、〝め〟は女性を意味するという。つまり、愛比売（えひめ）とは、「愛らしい太陽のような女性」という意味だ。明治初期に伊予国の地誌を編集した半井梧庵（なからいごあん）という学者がその書名を「愛比売」に因んで比売に媛（ひめ）の漢字を当て『愛媛面影―えひめのおもかげ』と題して刊行し、それが県名に採用されたのである。全国の県名のなかで、唯一、既存の地名ではなく、神話に基づいて命名された県名である。

金沢や能登の場所は知っていても、石川県がどこにあるのか答えられなかったり、長野県というより信州と呼ぶ方が旅情を感じたり、お役所が安直に命名したために、100年以上を経て、今なお住民や国民に浸透していない県名がある中で、愛媛はSNSだけではなく、地理や地名の研究者の中でもユニークでセンスのある命名として評価が高い。

④ 「福岡」「福井」「福島」、日本に〝福〟の付く県が三つもあるのはなぜ？

全国47都道府県の県名にはどのよう漢字が多く使われているだろうか。〝山〟がもっとも多く6県、次いで〝島〟が5県、〝川〟〝岡〟〝福〟が3県と続く。山・島・川・岡は、地形に関連する漢字だが、日本の地形は変化に富んでおり、これらが地名に多く使われているのは当然である。しかし、〝福〟を使った県が3県もあるのはなぜだろう。それぞれの県の〝福〟にはどのような由来があるのだろうか。

福岡は、関ヶ原の戦いの功績で筑前の領主となった黒田長政が博多の対岸に城を築き、そこを黒田氏の旧領であった備前国福岡に因んで「福岡」と名付けたという。

福井は、江戸時代の初め、領主となった松平忠昌がそれまでの北の庄という地名の〝北〟という字が敗北につながるというので「福居」と改称し、のちに「福井」に改められた。

福島は、戦国末期、豊臣秀吉の奥州平定に伴い、会津地方を拝領した蒲生氏郷が家臣の木村吉清に杉妻（すぎのめ）城を与えた際に、吉清が杉妻という地名を縁起の良い「福島」に改めたことが由来とされている。

現在、都道府県庁が置かれている47都市のうち、33都市はすでに江戸時代から城下町として地方行政の中心地として栄えていたが、実はその半数以上を占める17都市の現在の名は戦国末期から江戸時代初期にかけての数十年ほどの間に名付けられたものだ。この頃は戦乱の世が終わり、幕藩体制が確立する転換の時代であり、新領主は自分の城下町に様々な願いを込めて新しい名を付け、その際に縁起の良い漢字を好んで使ったのである。〝福〟以外には、盛岡の〝盛〟、富山の〝富〟、徳島の〝徳〟、松山の〝松〟などがある。

熊本はかつて「隈本」と書かれていたが、加藤清正が「奥まった場所、影陰の場所」を意味する〝隈〟の字を嫌って、勇ましい〝熊〟に変えた。**高知**は2代藩主の山内忠義が、水害に苦しめられるということで「河中（こうち）」を「高智」さらに「高知」と改めた。**大阪**は、豊臣秀吉がそれまで「小坂（おさか）」と呼ばれていた地名を、小より大が良いということで「大坂」と変え、さらに、明治になると〝坂〟は「土に反（かえ）る」なので縁起が悪いと「大阪」になった。**仙台**は、初代藩主の伊達政宗が唐代の漢詩の中の「仙臺所見五城桜」、**岐阜**は、織田信長が鳳凰が舞い降りたとされる「岐山」と孔子の故郷の「曲阜」、**松江**は、松江城を築いた堀尾吉晴が中国浙江省の西湖に臨む「松江府」など、中国の故事に由来して命名された地名である。かつて、先人たちが名付けた地名には、それぞれ泰平の世への思いが込められているのだ。

ところが、東の都だから〝東京〟、九州の北端だから〝北九州市〟、埼玉県の県庁があるので〝さいたま市〟など、明治以降の地名の決め方は安直極まりない。「愛媛」もそうだが、地名には地域の人々の思いが籠り、後世のメッセージとなるよう夢があってほしい。

⑤ 栃木県は栃木市に県庁がないのに、「栃木県」と呼ぶのはなぜ？

栃木県の県庁所在地ってどこなの？　水戸？　宇都宮？　前橋？　おそらく地元以外の人で正しく答えられる人は少ないのではないだろうか。全国47都道府県のうち、28の都府県は県名と県庁所在地が同じだが、栃木県のようにそれが一致していない県が北海道を含めて19もある。理由は、明治のお役人たちが、県を統廃合したり、県庁所在地を決めるたりするときに、目先の都合だけで朝令暮改の指示をしていたからだ。

青森に県庁を置いたので青森県、これなら明解でわかりやすく、もし全国一律にこの方針で県名を決めていたなら、１５０年後の今、県名と県庁所在地で頭を悩ませる人などいなかったはずだ。実際、当初は県庁のある都市（町）名を県名にすることを政府は方針としていた。ところが、それでは水戸や仙台など朝敵だった藩の名が県名となり、幕藩体制を否定する明治政府としてはいささか都合が悪い。そこで、県名には都市名ではなく郡名を採用せよと方針転換をした。茨城は水戸が属した茨城郡、群馬は前橋が属した群馬郡、宮城は仙台が属した宮城郡、愛知は名古屋が属した愛知郡、全国の県名と県庁所在地の名称が異なる県の多くはこのようにして、県庁が置かれた郡の名を県名に採用したわけである。

しかし、栃木県の場合、県名は県庁のある都市名でも郡名でもなく、事情は複雑だ。**宇都**

宮市は県の中央に位置し、当時は河内郡、栃木は県南部の都市の名である。明治初期、現在の栃木県は、戸田７万７０００石の城下町宇都宮に県庁を置く「宇都宮県」と、江戸時代より水運が発達し、商業で栄えていた栃木町に県庁を置く「栃木県」に分かれていた。

この２県が１８７３（明治６）年に統合し、旧下野(しもつけ)国をエリアとする新しい県が誕生したのだが、このとき、県庁は栃木に置かれたので、県名もなりゆきで「**栃木県**」となった。収まらなかったのは宇都宮の人々だ。明治中期、東京以北も鉄道網が整備されると、水運が衰退して繁栄に陰りが見えてきた栃木より、県の中央に位置し、陸上交通の要衝にあって経済発展の著しい宇都宮が県都にふさわしいと県庁移転の嘆願運動が活発化する。そのような時に、福島県令だった三島通庸(みちつね)が栃木県令を兼任することになる。福島事件で自由民権運動を弾圧し、鬼県令と恐れられた人物だ。当時の栃木県はのちに足尾鉱毒事件（P.121参照）で名を馳せる田中正造らに指導された民権運動が盛んで、その中心地が県議会のあった栃木であった。栃木の民権運動の勢力をそぐため、三島は就任後直ちに宇都宮への県庁移転を断行する。ただ、住民は宇都宮県への県名変更も望んだが、三島が県名まではこだわらなかったのか、栃木県の名は残され、県名と県庁所在地が一致しない状況が生まれることになった。

三島の独断専行の県庁移転ではあったが、現在、宇都宮は人口50万を超える北関東最大の都市に発展した。一方の栃木は、急速な都市化の波から免れ、白壁の街並みが残る「小江戸」として人気が高まり、年間２００万人もの観光客が訪れるようになった。

6 北海道はあんなに広いのに、県がないのはなぜ？

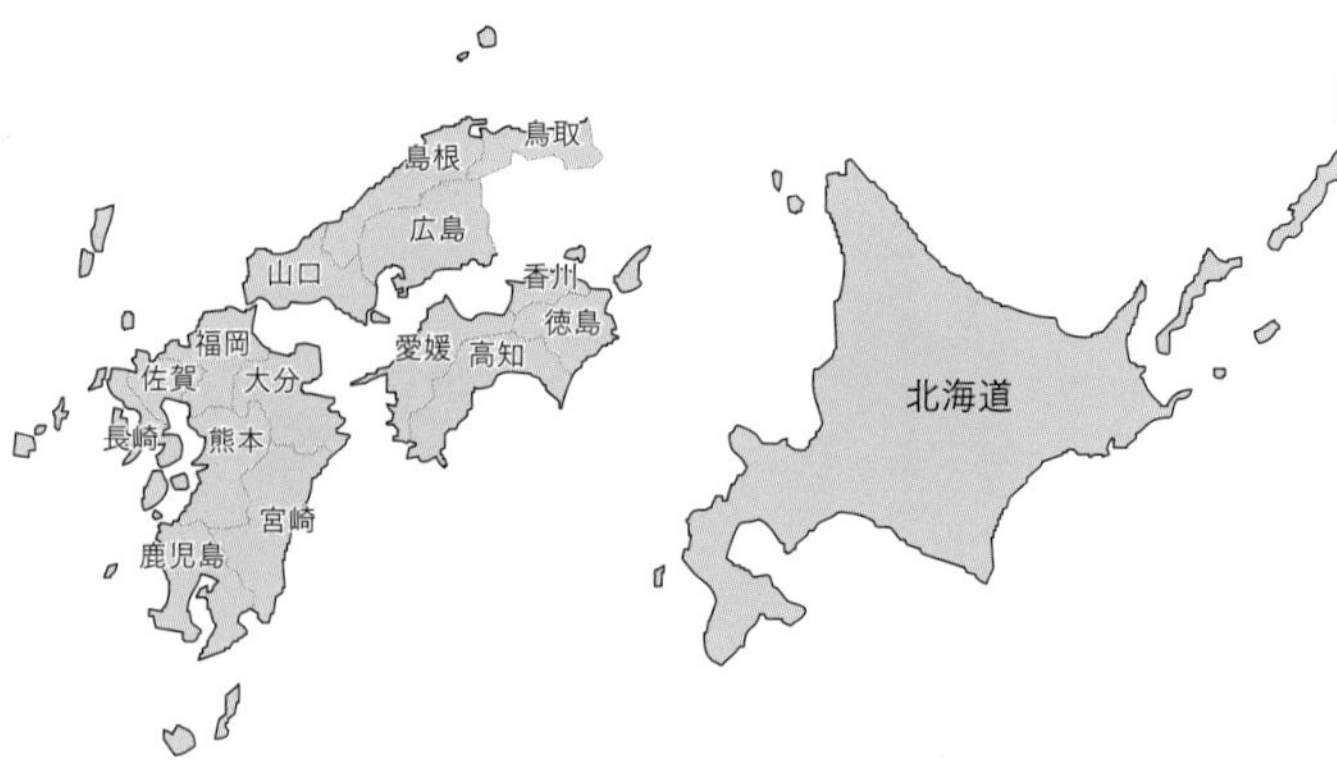

北海道はデカい。その面積は岡山県を除く中国・四国・九州地方15県を合せた面積とほぼ同じ。外国と比較するならば、台湾の約2.3倍、スイスの約2倍のデカさである。しかし、その北海道が県に分かれていないことを疑問に思う人は意外に少ない。多くの人は明治の頃からずっとそうだったと思っているのではないだろうか。

実は、1871（明治4）年の廃藩置県の際、道南の旧松前藩領には「館(たて)県」が設置されている。館県は2ヵ月後には北海道から切り離され、一時期、なんと弘前県（現青森県）に編入されている。また、1869（明治2）年に、箱館（現函館）に北海道開拓使が置かれるが、その前身の箱館府は箱館県とも称していた。

この開拓使とは、道路・鉄道・港湾の整備、鉱山開発、さらに、北方警備と開拓を兼任させる屯田兵制度の導入など北海道の開発促進のために設置された機関だが、計画が一段落した

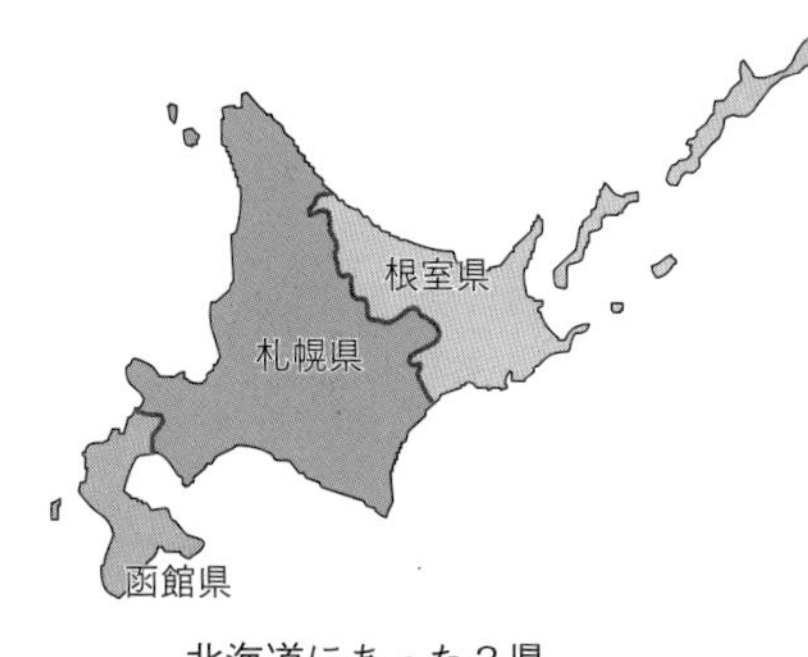

北海道にあった３県

１８８２（明治15）年に廃止されると、北海道にも本州以南と同じように県制が導入され、「**函館**」「**札幌**」「**根室**」の３県が発足する。

しかし、この３県体制はたちまち頓挫する。そもそも、この案はお役人の机上の発想で、北海道を縦に３分割したに過ぎず、現地の実情に合うものではなかった。当時、北海道の全人口の65％は函館県に集中し、寒冷の未開拓地が大半を占める根室県の人口は７％の約１万４０００人、人口密度はわずか0.6人、根室県になってからは開拓使時代より予算も少なくなり、行政機能はほとんど機能しなかった。結局、３県は４年足らずで廃止され、１８８６（明治19）年、札幌に北海道庁が設置され、開拓事業もそれまでは政府主導だったが、民間の開発投資が増え、開拓を支える移住者も増え始める。

それから１３０年余、近年、地元の議員有志を中心に再び北海道分県案が浮上している。理由は、行政・経済・文化などすべてが札幌に一極集中し、道東や道北などの遠隔地との格差の拡大が著しいことである。広大な北海道に知事が１人では地域に目が行き届かない、県庁と市町村の距離を短くして地域の実情に合った弾力的な行政が必要であると彼らは主張している。北海道新幹線計画が進まないのも、九州では知事７人が連携したが、北海道はたった１人で発言力が弱いせいだという声もある。政府が目指す道州制とは真逆の主張だ。

02

NAZOTOKI

旧国名の近江（滋賀県）を「おうみ」、大和（奈良県）を「やまと」と読むのはなぜ？

謎解きの前に、ちょっと問題を。次の旧国名をあなたは正しく読めますか？

1 上野　2 下野
3 下総　4 遠江
5 但馬　6 伯耆
7 美作　8 石見
9 周防　10 日向

1 こうずけ（群馬）　2 しもつけ（栃木）
3 しもうさ（千葉）　4 とおとうみ（静岡）
5 たじま（兵庫）　6 ほうき（鳥取）
7 みまさか（岡山）　8 いわみ（島根）
9 すおう（山口）　10 ひゅうが（宮崎）

津軽海峡、能登半島、近江盆地などの地名、讃岐うどん、飛騨牛などの地方の名産、他にも阿波踊りや土佐犬に戦艦大和、サザンオールスターズと言えば湘南の海がイメージされるが、湘南とは相模南部、甲州ワインの甲州とは甲斐のことである。明治の廃藩置県から1世紀半が経ったが、旧国名は今も我々の周囲の様々な場面で生きている。

しかし、これらの旧国名、近江や大和なら多くの人は難なく読めるだろうが、右ページの例題の上野や美作を、はたしてどれくらいの人が正しく読むことができるだろうか。そもそも、なぜ上野を「こうずけ」、近江を「おうみ」、大和を「やまと」と読むのだろうか。なぜ、漢字の音と実際の読み方が一致しないのだろうか。

これらの国名の起源はおよそ1400年前まで遡る。大化の改新ののち、朝廷から各地に国司が派遣されるようになり、令制国と呼ばれる行政区分が整ってゆくが、初期の国名は、自然などその地域の特徴に由来したものが多かった。火山活動が活発な「火の国（熊本県）」、森林が広がる「木の国（和歌山県）」、三つの川がある「みかわ（愛知県）」、島が多い「しま（三重県）」、泉が湧き出る「いずみ（大阪府）」、沖にある島の「おき（島根県）」などである。「きび（岡山県）」や「けの（北関東）」はその地方を支配した豪族の名が由来だ。

ところが、奈良時代に入ると、地名はすべて縁起のよい漢字2文字にせよという『好字二字化令』が発布される。唐の制度を真似た法令だが、「火の国」は「肥前」と「肥後」に二分され、2文字にするために、本来は漢字1文字の「島」を「志摩」、「沖」を「隠岐」、「木の国」を「紀伊」にするなど漢字本来の意味を無視したかなり不自然な表記が生じた。「泉」は「和泉」と2文字にされたが、〝和〟は黙字、英語で言うサイレントレターだ。

3文字表記は逆に1文字削られてしまう。近江（滋賀県）は本来は「近淡海〈ちかつおうみ〉」で、意味は都に近い淡海（おうみ）、淡い海とは淡水の海つまり琵琶湖のことである。2文字表記にするために、〝淡〟が削除されたわけだが、発音は〝淡〟ではなく〝近〟の「ちかつ」が消滅し、近江を「おうみ」と読むようになった。近淡海に対して「遠淡海〈とおつおうみ〉」は浜名湖のこと、遠江（静岡県）となり、「とおとうみ」と呼ばれるようになった。

北関東の「毛野〈けの〉」は、7世紀に「上毛野〈かみつけの〉」と「下毛野（しもつけの）」の2国に分かれ、さらに〝毛〟が省略されて2文字の「上野（群馬県）」と「下野（栃木県）」となった。しかし、発音はかつての名残りで「こうづけ」「しもつけ」である。

「やまと」は「やまのあるところ」が語源とされるが、この地を本拠とするヤマト政権が日本列島を支配するようになると、「やまと」は日本全体を指す言葉になる。当時の中国は日本を「倭（わ）」と呼んでいたことから、やがて倭を「やまと」と訓読みするようになった。さらに〝倭〟に代えて、好字である〝和〟を用いるようになり、2文字にするためにやはり好字である〝大〟を加え、「やまと」に「大和」の漢字を当てるようになったわけである。

長く日本人の生活に馴染んできた旧国名だが、それらを読めなかったり、場所を知らなかったりする人が増えているのは時代の流れとはいえ、淋しいものである。

03

NAZOTOKI

日本の山の高さが変わる謎
富士山はホントに3776mだろうか？

北海道最高峰
① 旭岳

四国最高峰
⑥ 石鎚山

中国地方最高峰
⑤ 大山

東北最高峰
② 燧ケ岳

新山が生まれた
⑧ 雲仙

日本最高峰
③ 富士山

日本第2の高峰
④ 北岳

九州本土最高峰
⑦ くじゅう連山

西日本最高峰
⑨ 宮之浦岳

	1972年の標高	2018年の標高	増減
① 旭岳	2290m	2291m	+1m
② 燧ケ岳（ひうち）	2346m	2356m	+10m
③ 富士山	3776m	3776m	± 0m
④ 北岳	3192m	3193m	+1m
⑤ 大山（だいせん）	1731m	1729m	−2m
⑥ 石鎚山（いしづち）	1981m	1982m	+1m
⑦くじゅう連山	久住山 1787m	中岳 1791m	+4m
⑧ 雲仙	普賢岳 1359m	平成新山 1483m	+124m
⑨ 宮之浦岳	1935m	1936m	+1m

１９９０（平成２）年から5年間続いた火山活動によって、雲仙（長崎県）は一気に１２４ｍも高くなった。火山活動や地震が活発な日本では、それらが原因となって山の高さが変わることは、もちろん起こりうることだ。雲仙以外にも、１９７２（昭和47）年と２０１８（平成30）年の地形図を比較すると、旭岳、燧ヶ岳、大山、石鎚山など各地の最高峰をはじめ、全国の著名ないくつもの山々の高さが変わり、２０１４（平成26）年以降に限っても、１００近い山の標高が変わっている。ただ、実はこれらの山々のほとんどは、実際には雲仙のように山が高くなったり、低くなったりしているわけではない。

明治以来、日本では長く三角測量方式という方法で山の高さを計測していたが、現在、**国土地理院**は、人工衛星からの信号を用いて位置を決定するＧＮＳＳ測量など最新の測量技術によって、全国の山々の標高の点検・補足調査を進めており、そのため、多くの山々の標高が改訂されたのである。さらに、北岳や大山のように山頂の三角点の設置場所と最高地点がズレていたため、それを修正し、標高が変わった山や、久住山のように風化や登山者の増加による山頂の崩落によって実際に低くなった山もある。

そうなると気になるのが日本一の**富士山**の標高だ。「富士山のように皆なろう（３７７６＝**ミナナロ**）」、このような語呂合わせで、富士山の高さ３７７６ｍを覚えた人が多いと思う。この３７７６ｍという数値は、１９２６（大正15）年、国土地理院の前身である陸地測量部が富士山頂の剣が峰に三角点の標石を設置して三角測量を行ない、その時の測量値

３７７６・２９ｍに基づいており、以後「ミナナロ」が富士山の標高として定着する。

　しかし、今でも富士山は３７７６ｍなのだろうか。もちろん、その後も測量は何度も行なわれている。１９６２（昭和37）年には、風化と大勢の登山者のために三角点の標石が設置されている岩場が崩壊する恐れが出てきたため、国土地理院はコンクリートで標石の周囲を補修し、その時に富士山の新たな標高を３７７５・６３ｍと発表した。56年ぶり改定で、大正の測量より66㎝低くなったが、四捨五入すると３７７６ｍ、なんとかミナナロは守られた。

　１９９３年に大手の建設会社が、ＧＰＳ測量と水準測量によって富士山の標高を測定し、３７７４・９７ｍという結果を発表した。ミナナロではなくなると波紋を呼んだが、国土地理院の公式な測定ではなかったため、日本地図の３７７６ｍが書き直されることはなかった。

　２００２年、国土地理院は富士山頂に**電子基準点**を設置し、ＧＮＳＳ測量方式による測量を行なう。この時の測量値は３７７４・９ｍ、今度こそミナナロの終わりか思われたが、何とこの危機も回避される。三角点はその山の最高地点に設置されていると思われがちだが、実際は必ずしもそういうわけではない。富士山の場合も、実際の最高地点は、三角点から北へ12メートルの岩場で、標高は３７７６・２ｍある。この場所は急峻な崖になっているため、三角点や電子基準点は場所をずらして設置されているのだ。そのため、国土地理院は、富士山の標高３７７６ｍは変更しないことを発表し、またもミナナロは守られた。

04

NAZOTOKI

佐多岬と佐田岬、男鹿半島と牡鹿半島、日本地図に見つけたそっくり地名の謎

壱岐は『魏志倭人伝』にも登場する長崎県の離島である。観光のため、この島へやってきたある旅行者が予約をした旅館がどこにも見つからず、なんで？　と思ったのだが、その人が予約したのは実は壱岐から４００㎞も離れた島根県の隠岐の旅館、「いき」と「おき」を勘違いしたらしい。日本各地にはこのようによく似た地名がいくつもあるが、それらは偶然なのだろうか、それとも何か共通するものがあるのだろうか。

佐多岬は九州最南端、**佐田岬**は四国最西端の岬である。民俗学者の柳田國男によれば、サタ（サダ）とは古語で海に突き出した地形のことをいい、サは先（さき）のサ、タは彼方（かなた）のタと同じで方向を意味している。二つの岬の名の由来は同じだ。四国の足摺岬もかつては蹉跎（さだ）岬と呼ばれており、岬の先端には四国38番札所蹉跎山金剛福寺がある。

島根県の**日御碕**には日沈宮（ひのしずみのみや）と呼ばれる日御碕神社がある。この神社は出雲大社から見て夏至の日没線上にあり、太陽神である天照大神を祭神にしている。これが日御碕の名の語源とされている。和歌山の**日ノ御埼**も日の沈む西方を臨んでいるが、島根の日御碕と語源が関連しているかどうかははっきりしない。なお、こちらの日ノ御埼は日の岬とも書く。

納沙布岬は根室半島の先端にあり、北方領土を望む日本本土の最西端の岬、**野寒布岬**は北海道北端の稚内市にあり、宗谷海峡に面する岬である。納沙布、野寒布ともアイヌ語のでnot-sam「岬のそば」が語源と思われ、not（ノッ）はアイヌ語で「あご」のことを言い、地形があごのように海に突き出た岬や半島の意味を持っている。北海道には他にも野付（ノツケ）崎や能取（ノトロ）岬などnotに由来する地名が多く見られ、一説には能登（のと）半島もアイヌ語のnotが語源であると言われている。

ラムサール条約にも登録されている日本最北の湖である**クッチャロ湖**と北海道第2の広さを持つカルデラ湖の**屈斜路湖**（クッシャロ湖）、この二つの湖も語源は同じだ。アイヌ語の「トー・クッ・チャロ」、沼から水の流れ出る口という意味である。

秋田県の**男鹿（おが）半島**と宮城県の**牡鹿（おしか）半島**も、アイヌ語でオ（接頭語）＋シカ（海岸）が語源と思われ、男鹿もかつては「おしか」と呼ばれていたそうだ。秋田県境に近い山形県北部に女鹿（めが）という土地があり、男鹿と言えば「なまはげ」で有名だが、この女鹿にもなまはげとよく似た「あまはげ」という風習があるのが興味深い。

他にも、屋久島沖の火山活動が活発な島が口永良部（くちのえらぶ）島、そこから南へ３６０km、西郷隆盛の流刑地として知られるのが沖永良部（おきのえらぶ）島、種子島の中心が西之表（にしのおもて）市、ヤマネコで有名な島が西表（いりおもて）島、日本最南端が沖ノ鳥島、日本最東端が南鳥島、世界遺産の白神山地から日本海へ流れるのが追良瀬（おいらせ）川、十和田湖から太平洋へ流れるのが奥入瀬（おいらせ）川である。

日本各地には、まだ多くのそっくり地名がある。そして、それぞれの地名には意外な由来や興味ある背景があるはずだ。地図帳を開き、そんな地名探しもけっこう楽しいものだ。

05

NAZOTOKI

九州に長さがわずか158mの国道と、総延長884kmの国道があるのはなぜ？

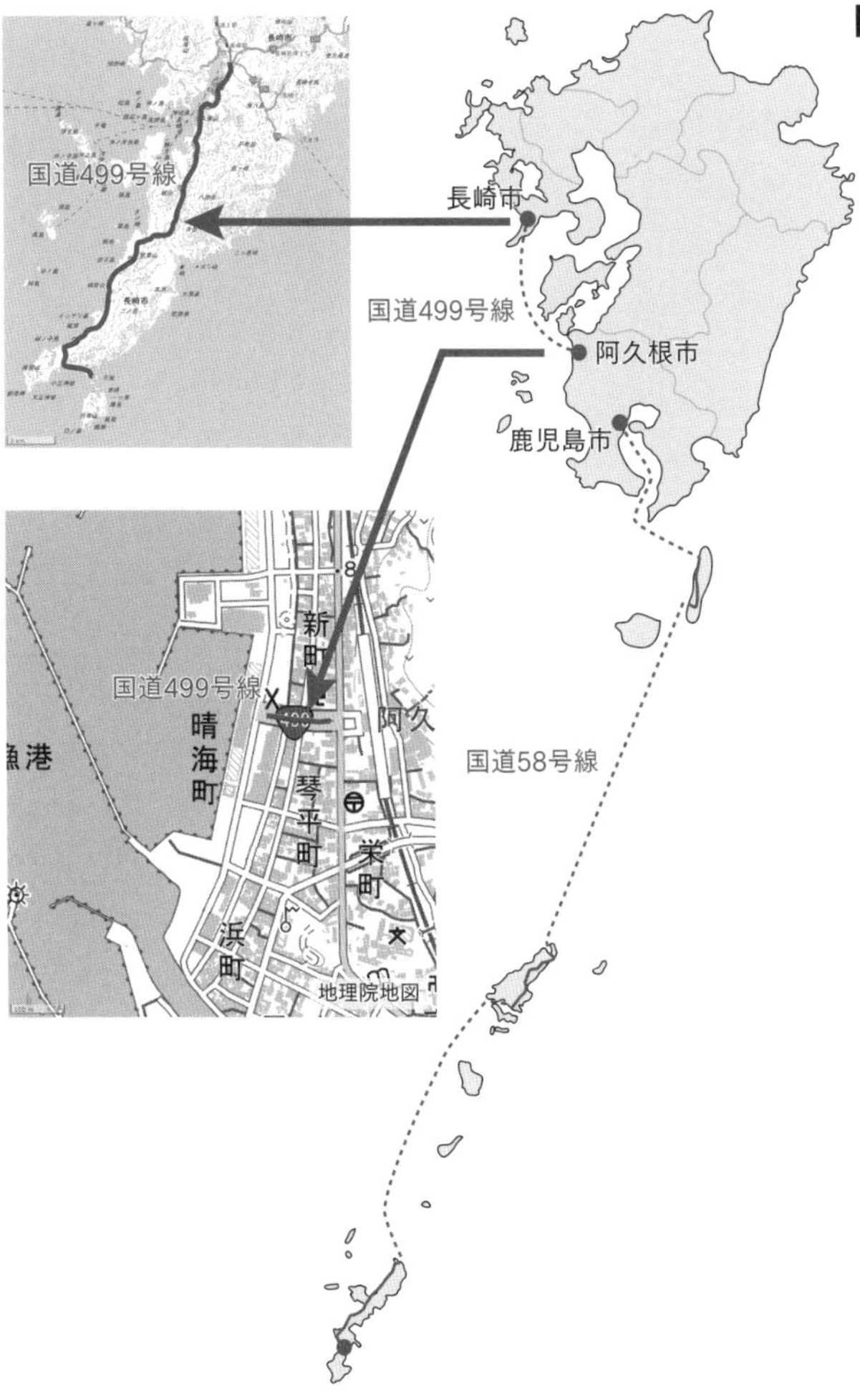

国道499号線

長崎市

国道499号線

阿久根市

鹿児島市

国道499号線

新町

晴海町

琴平町

栄町

浜町

阿久

地理院地図

国道58号線

鹿児島県東部の阿久根市内にある国道499号線は、長さがわずか158mしかない。阿久根駅前の国道3号線の交差点から海の方向に2車線の道路が延びているが、そのすぐ先がT字路の突き当たりになっており、そこまでが国道499号線、歩いて2分ほどの距離だ。突き当たりには魚市場の建物があり、その向こうはもう海、阿久根港である。

これだけなら、日本一短い国道なのだが、ところが国道499号線は阿久根市とは天草灘を挟んだ対岸の長崎県内にもある。長崎市内から長崎半島を南西に進み、先端の野母(のも)崎までの27・6kmが同じ国道499号線だ。海を隔てて約80kmも離れた鹿児島県と長崎県になぜ同じ国道があるのだろうか。一見不思議に思えるが、海を挟んで同じ路線番号の国道があるというのは特異なことではない。北海道と青森県には、津軽海峡を挟んで278・279・338号の3本の同じ国道があり、四国と九州の間にも、豊予(ほうよ)海峡を挟んで愛媛県側と大分県側に同じ197号線がある。他にも国道42号線は、愛知県の渥美半島から伊良湖水道を渡って三重県鳥羽市へ続いており、国道28号線は、兵庫県神戸市から淡路島を経由して徳島市を結んでいるが、明石海峡と鳴門海峡の2度も海を渡っている。実はこれらの国道は、その途中に海があってもフェリーで結ばれているため、一続きの道路と見なされている。法律上は、海上のフェリー航路も国道扱いであり、**海上国道**と呼ばれている。しかし、阿久根市と長崎県の野母崎の間にはフェリーは運航していない。国道499号線が指定されたのは、1993年（平成5）年だが、当時はこの区間に不定期のフェリーが就航していたが、定期化には至らず、間もなくこの航路は廃止されてしまったのだ。

日本最長の海上国道は58号線である。この国道は鹿児島市を基点とし、種子島、奄美大島を経由して那覇市まで続き、総延長８８４kmは日本最長の国道でもあるが、その約7割が海上で、陸上部分は２４５kmに過ぎない。かつて、日本の国道は一級国道と二級国道に区分されていたが、１９７２（昭和47）年の沖縄返還時に、一級国道に相当する2桁番号の国道が沖縄県だけにないのはおかしいという単純な理由で、米軍統治時代に軍道1号と呼ばれていた沖縄本島を縦貫する幹線道路が国道58号線に指定されたという。また、道路法には県庁所在地など重要な都市を連絡する道路という国道設置の規準があるため、58号線は鹿児島―那覇の区間となったのだが、九州本土部分は鹿児島市内のわずか0.7kmだ。なお、フェリーは鹿児島港と種子島間、鹿児島港から奄美大島を経由して那覇港間に運行されており、国道58号線が指定された頃は種子島と奄美大島を結ぶ航路もあったが、現在は廃止されている。途中の航路が廃止されても、国道の指定が変わることはない。

ちなみに、高速道路を除いた一般国道は1号から５０７号（欠番もある）まで、全国に４５９本の路線があり、そのうち実延長が日本最長の国道は東京と青森市を結ぶ4号線で８３７km、最短は兵庫県神戸市内の１７４号線で全長はわずか１８７m、国道の指定には、主要国道と重要な港湾や空港を連絡する道路という規準もあり、１７４号線はこれに該当する。ただ、この１７４号線は上下合わせて11車線もある日本一車線が多い国道でもある。

06

NAZOTOKI

日本の宇宙ロケットの二つの発射基地が、どちらも鹿児島県にあるのはなぜ？

日本と世界のおもなロケット発射基地

※ロシアのバイコヌール基地はソ連時代に開設され、当時、カザフスタンはソ連領だった。

日本の宇宙開発は１９５５（昭和30）年に、東京都国分寺市で東大の糸川教授らにより発射実験されたわずか23cmのペンシルロケットから始まる。その後、発射場所は秋田県道川海岸に移り、失敗を重ねながらも次第に成果を上げ、１９７０（昭和45）年には、新たな発射場となった鹿児島県大隅半島の**内之浦**から日本初の人工衛星「おおすみ」の打ち上げに成功する。さらに１９９３（平成５）年には、鹿児島県**種子島**に東京ディズニーランドの約20倍に当たる総面積９７０万㎡の広大な大型ロケット発射場が完成する。現在、内之浦からは天文観測や惑星探査など科学研究を目的とするロケットが打ち上げられるのに対し、種子島からはおもに気象観測や放送中継などの実用衛星を積載したロケットが打ち上げられる。

種子島も内之浦も同じ鹿児島県内だが、もちろんこれには理由がある。それは赤道に近いことだ。ロケットを大気圏外まで上昇させるには推力として多くのエネルギーが必要だが、地球の自転エネルギーや遠心力を活用すると、消費燃料を抑えることができる。地球は低緯度ほど自転速度が速くなり、遠心力が強まるので、ロケットの打ち上げにはできるだけ赤道に近い場所が有利になるのだ。アメリカの**ケープケネディ**、ロシア（旧ソ連）の**バイコヌール**、中国の**文昌**などの発射場もそれぞれ自国の領土内でもっとも赤道に近い位置に開設されている。電力や水、人員・資材等の輸送の利便性、人口密集地から離れていること、船舶や航空機への影響の軽減なども考慮され、海に面していることも重要な立地条件である。これらの条件を満たす場所として、日本では鹿児島県内の２箇所が選定されたのである。

07

NAZOTOKI

九州の人気温泉「ゆふいん」、「由布院」と「湯布院」どちらがホント？

由布院温泉付近
（大分県由布市）

地理院地図

旅行情報サイト「じゃらんネット」が、毎年、全国の温泉ファンの会員を対象に実施している「全国あこがれ温泉地」という調査で、２００６年から18年まで、由布院温泉は全国３２７の温泉地の中から13年連続で第1位に選ばれている。人気の温泉地の調査は、他の旅行サイトや情報誌でも毎年のように実施されるが、どの調査結果を見ても由布院温泉はランキング上位の常連である。

由布院温泉は大分県のほぼ中央に位置し、由布岳やくじゅう連山に囲まれた風光明媚な温泉地である。温泉湧出量は、隣接する別府温泉に次いで全国2位で、「東の軽井沢、西の由布院」と称されるほどリゾート地としての評価も高く、リピーターも多い。

アクセスとしては、JR久大本線と大分自動車道がある。ただ、JRの駅名は「**由布院**」だが、自動車道のインターチェンジは「**湯布院**」である。〝由〟と〝湯〟、表記が1文字違う。他の施設の名を見ても、由布院郵便局、由布院小学校、市役所湯布院庁舎、自衛隊湯布院駐屯地など由布院と湯布院が混在している。なぜ、2通りの表記があるのだろうか。

奈良時代に編纂された『豊後風土記』には、この地域は楮（こうぞ）を原料とした木綿（ゆふ）と呼ばれる布の産地であったことから、「柚富郷（ゆふ）」として記述されている。平安時代に入ると「由布郷」となり、さらに、この地に大宰府政庁が米などを蓄えておく倉院を設けたことから由布の院つまり由布院とそれ以後は呼ばれるようになった。明治以降は由布院村、戦後は由布院町になったが、１９５５（昭和30）年に、隣接していた湯平（ゆのひら）町と合併し、両町の名を合成して「湯布院町」となり、以後、「湯布院」の名称も使われるようになったわけである。

このように音は同じであっても漢字表記が異なる地名は全国には他にも多く見られる。P.56の「飛鳥」と「明日香」もその一例だが、九州だけでも由布院以外に、「玄界灘」と「玄海町」、地名の「太宰府」と史跡の「大宰府」、火山群の「九重山」と単独峰の「久住山」などがある。

東京都内にも「御茶ノ水」と「お茶の水」、「青砥」と「青戸」、「二子玉川」と「多摩川」など駅名と地名の表記が異なる場所がある。「墨田区」と「隅田川」の違いもよく知られている。墨田区は終戦直後の１９４７（昭和22）年に本所区と向島区が統合されて誕生したが、当初は川と同じ漢字の「隅田区」が検討されたそうだ。しかし、その前年に内閣が告示した当用漢字表に〝隅〟の漢字がなかったため、「墨田区」と表記が変えられたという。

極めつけは大阪の古称でもある「なにわ」だろう。「難波」「浪速」「浪花」「浪華」と現在使われているだけでも４通りの表記がある。難波を「なんば」と読めば大阪ミナミのターミナル駅だが、４世紀頃の仁徳天皇の都「難波宮」は「なにわのみや」であり、難波駅があるのは浪速区である。大阪の人たちはこの４通りの表記を巧みに使い分けている。ちなみに「なにわ」の語源だが、神武天皇の頃、この地が潮流の速い場所だったので「なみはや」と呼んだことが『日本書紀』に記述されている。

音が同じでも表記の違う地名は全国には数多いが、それぞれの経緯にはその地域の歴史や文化の背景があり、もちろん統一する必要はない。

08

NAZOTOKI

福岡県と佐賀県の県境が、クネクネ曲がりくねっているのはなぜ？

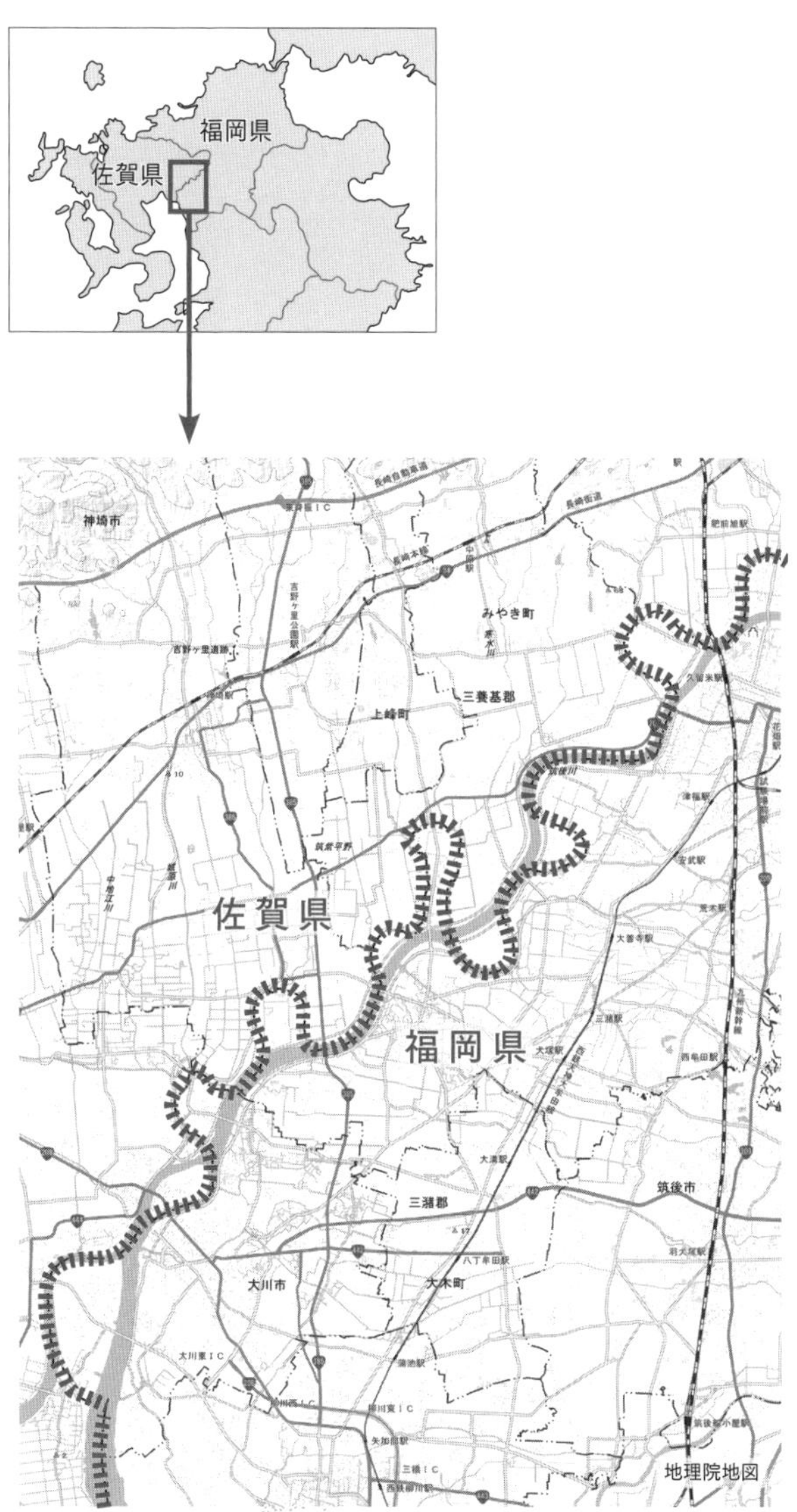

「板東太郎、筑紫次郎、四国三郎」という言葉をご存じだろうか。坂東太郎とは関東平野を流れる流域面積が日本一の利根川、筑紫次郎とは九州北部を流れる筑後川、四国三郎とは四国最大の吉野川の別称で、この三つの川を合わせ、日本三大暴れ川と呼ぶ。

その一つ、**筑後川**は熊本・大分・福岡・佐賀の4県にまたがる流路延長143㎞の九州最大の河川で、くじゅう連山や阿蘇瀬の本高原に源を発し、筑紫平野から有明海に注いでいる。筑後川という名称は江戸時代の初めに公式に定まったが、それ以前には「一夜川」とも呼ばれていた。流域一帯は肥沃な農地が広がるが、大雨が降るとたちまち川が氾濫し、田畑を一夜にして荒涼たる土地に様相を一変させてしまう川という意味である。治水事業がまだ不十分だった明治中期まで、筑後川はほぼ2年に1度の割合で氾濫を繰り返していたという。

筑後川がこれほど氾濫するのは、流域に大雨が降ると水位が著しく高くなる水量変化の大きな川であることがまず要因として挙げられる。2005年以降10年間の統計では、筑後川の渇水時の最小水量は毎秒11㎥だったが、増水時の最大水量はその537倍の5900㎥が記録されている。この差を**河況係数**と言うが、吉野川は1000倍、利根川は138倍、木曽川は144倍、淀川は126倍である。ちなみに、ダムや堰などによる流量調節がまだ不十分だった2000年以前の資料では筑後川の河況係数は3750倍にのぼった。

筑後川の氾濫にはもう一つ大きな要因があった。それは流路の**蛇行**である。かつての筑後川は筑紫平野に入ると激しく蛇行し、それが氾濫被害を倍加させていた。筑後川には「御境川(おさかいがわ)」

という異名もあり、江戸時代には右岸の黒田藩、鍋島藩、左岸の有馬藩、立花藩の境界となっていた。そして、それがそのまま現在の福岡県と佐賀県の県境になっているのだが、県境が入り組んでいるのはかつて蛇行していた筑後川の流路の痕跡なのだ。たびたび繰り返される氾濫は各藩にとっても、深刻な問題であり、各藩は蛇行部分をショートカットし、流路を直線化する工事に取り組んだ。それは明治以降も続けられ、現在の流路になったのだが、境界は旧流路のままなので、複雑に入り組んだ県境が生じたわけである。

しかし、何百年も前のままの入り組んだ境界線と改修後のまっすぐな現在の流路が一致していないため、筑後川の左岸に佐賀県、右岸に福岡県の飛び地が生じ、そこに住む人々が同じ市内や町内の役所や学校へ行くのにいちいち筑後川を渡らねばならなくなってしまった。対岸へ渡るには数キロ先まで行かねば橋がない地域もあるという。

このような地域を**河川飛び地**と呼ぶが、河川飛び地の問題は全国各地に存在している。その中には、利根川を挟んだ埼玉県深谷市と群馬県太田市のように川で分断されていた対岸地区を交換し、河川飛び地を解消したという事例もある。しかし、多くの地域では様々な利害が絡み、飛び地問題の解決が棚上げされ、川はまっすぐになっても、県境は入り組んだままだ。人は大自然が何百年何千年もかけて作りあげた川の流れを自分たちのために変えてきたが、自分たちの都合で作った境界線をなかなか変えることができない。

09

NAZOTOKI

鳥取県に富士五湖・大きな池・があるのはなぜ？

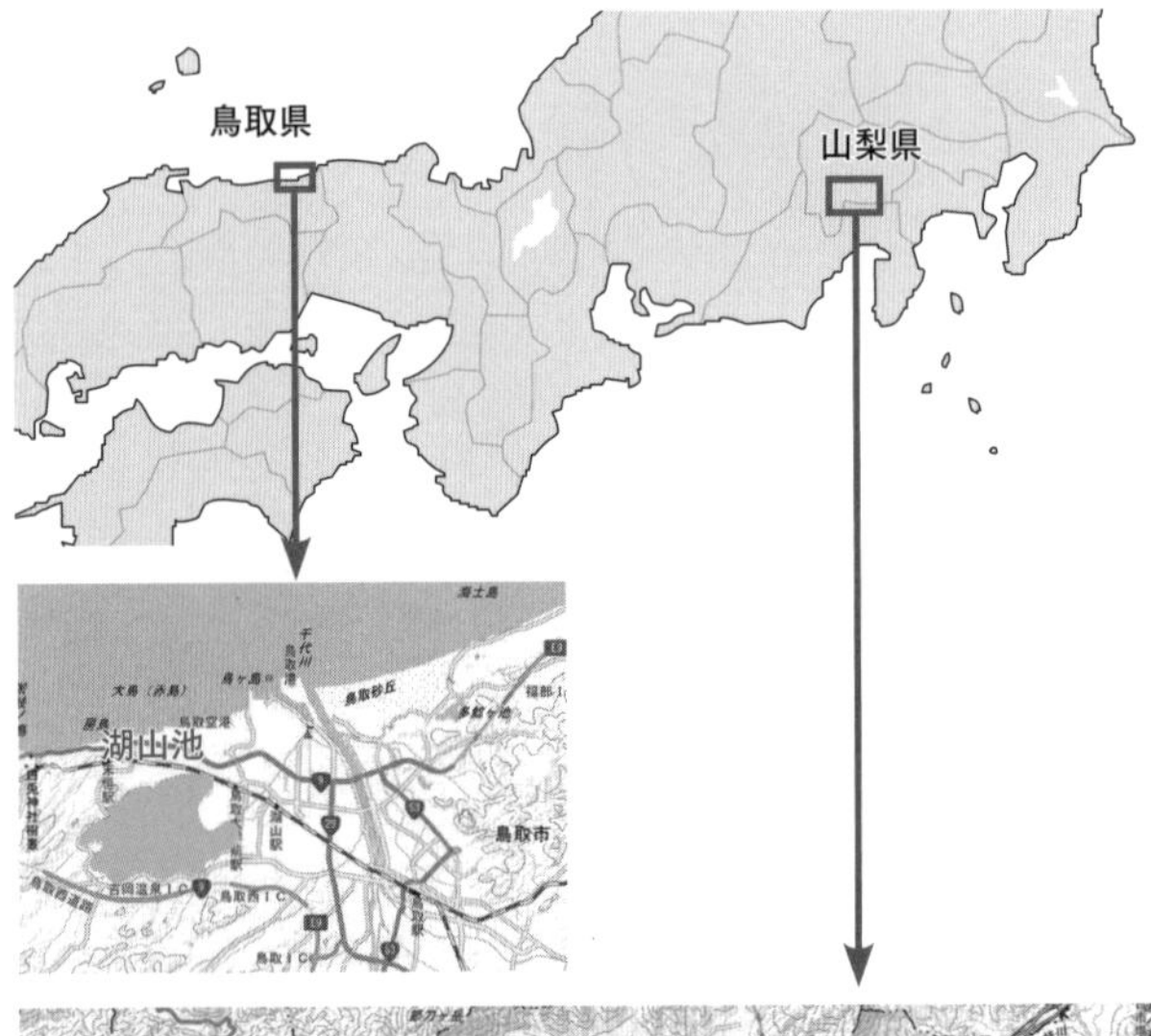

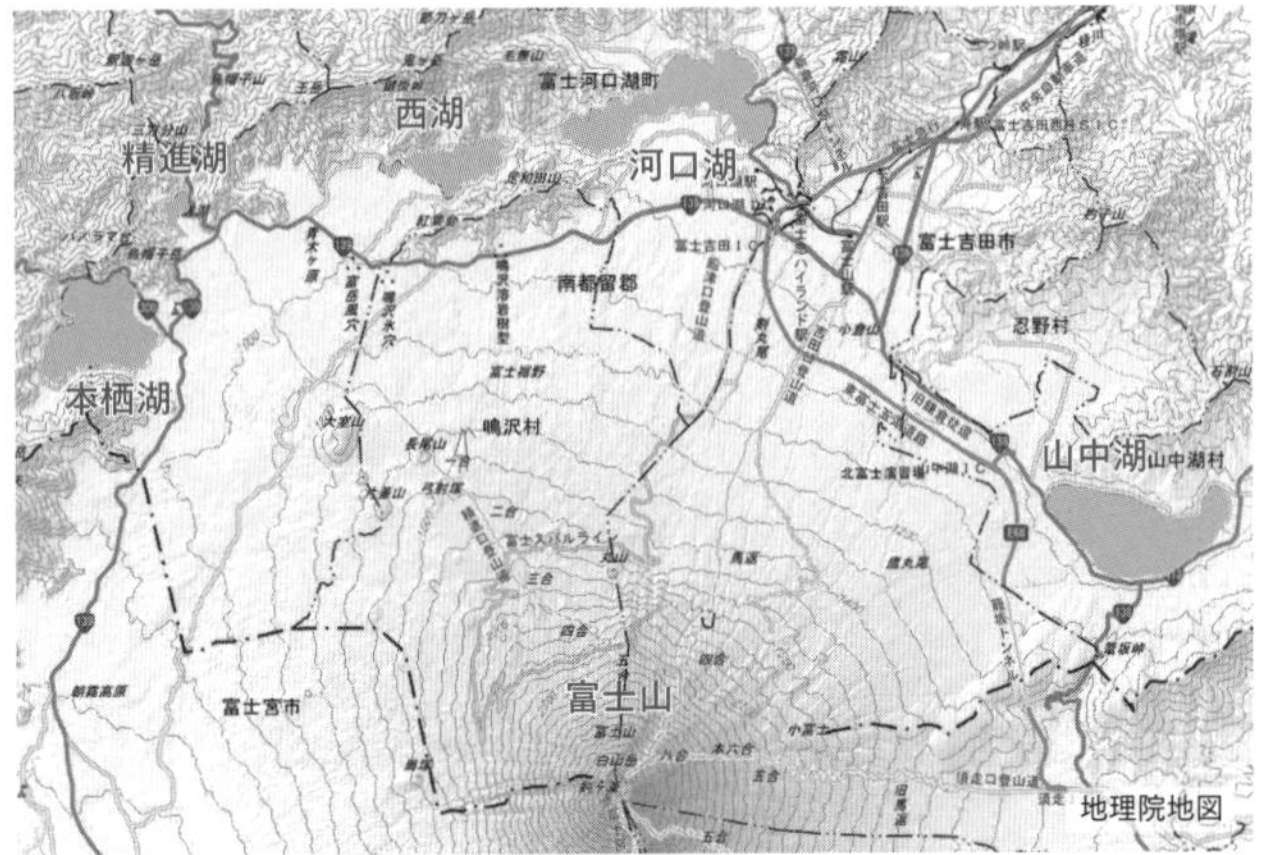

	湖山池	（鳥取県鳥取市）	6.99㎢
富士五湖	山中湖	（山梨県山中湖村）	6.80㎢
	河口湖	（山梨県富士河口湖町）	5.70㎢
	西湖	（山梨県富士河口湖町）	2.10㎢
	精進湖	（山梨県富士河口湖町）	0.50㎢
	本栖湖	（山梨県富士河口湖町他）	4.70㎢

鳥取県の東部に**湖山池**と呼ばれる池がある。湖山池は世界の重要な地質遺産を対象とした「**世界ジオパーク**」の一つにユネスコから認定されているが、全国的にはほぼ無名、地元の人以外で湖山池の名を知る人は少ないだろう。しかし、この池は周囲18㎞、面積約7㎢、池とは呼ばれてはいるが、富士五湖のどの湖やナウマン象で知られる長野県の野尻湖などより大きい。湖よりもずっと大きい池なのだ。池内には五つの島があり、そのうち最大の青島は1周すると2㎞もある。それほど大きいのなら、なぜ、湖と呼ばないのだろうか。

国土地理院の「国土の情報に関するQ&A」というサイトには、池について「湖や沼よりも小さなものをいい、特に人工的に作ったもの」という解説がある。しかし、湖山池は大きいだけではなく、もとは日本海とつながる入り江だったところが砂州の発達によって海と分離されてできた天然の湖沼であり、人工ではない。浜名湖と同じ海跡湖である。国土地理院の解説は一応の指標ではあるが、国土地理院が地図を作成する際には、地元の人たちが実際に使っている地名を記載することが多い。その場合、東日本では、湖や池以外にも沼、潟、浦など様々な呼称が使われているが、琵琶湖以西の西日本では、ダム湖などを除けば、湖は宍道湖（島根県）と池田湖（鹿児島県）の二つだけで、あとはすべて池と呼ばれている。

ただ、P.42の由布院温泉（大分県）にある金隣湖は、周囲がわずか400mだ。かつては「岳ん下ん池」と呼ばれていたのを、地元の風流人が金鱗湖と名付けたのだが、近年はこのような小さな池であっても、イメージアップのために湖と呼んでいる場合もある。

10

NAZOTOKI

「神戸」が全国に約70ヵ所もある謎

全国各地の神戸

○神戸（ごうど・ごうと・ごおど）
◆神戸（かんべ）
✚神戸（かんど・かみど・かみと）
★神戸（その他の読み）

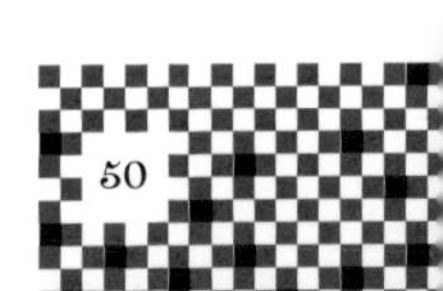

全国各地の神戸一覧

【こうべ】東京都神津島村神戸山・**兵庫県**神戸市・**宮崎県**延岡市神戸

【ごうど】群馬県高崎市神戸町・みどり市神戸・**埼玉県**川口市神戸・東松山市神戸・羽生市神戸・**神奈川県**横浜市保土ケ谷区神戸町・伊勢原市神戸・足柄下郡湯河原町神戸・**山梨県**甲府市神戸・大月市神戸・南アルプス市中野神戸・甲斐市神戸・北杜市神戸・甲州市塩山神戸・**長野県**松本市神戸・飯山市神戸・諏訪郡富士見町神戸・上伊那郡辰野町神戸・木曽郡南木曽町神戸・木曽郡木曽町神戸・北安曇郡松川村神戸・**静岡県**富士市神戸・伊豆市修善寺神戸・**岐阜県**安八郡神戸町・多治見市神戸・瑞浪市神戸・**愛知県**名古屋市熱田区神戸町・緑区神戸・守山区神戸・刈谷市神戸・大府市神戸・知立市神戸・江南市神戸・西春日井郡豊山町神戸・知多郡南知多町豊丘神戸・南知多町篠島神戸

【ごおど】愛知県大府市神戸 **【こうど】愛知県**南知多町師崎神戸浦・**和歌山県**紀の川市貴志川町神戸

【かんべ】千葉県館山市（旧安房郡神戸村）**愛知県**豊橋市植田町神戸坂・豊橋市野依町神戸坂・田原市相川町神戸・田原市大草町神戸・一宮市今伊勢町新神戸・一宮市神戸町・**三重県**鈴鹿市神戸・津市神戸・伊賀市神戸・**兵庫県**たつの市神戸北山・宍粟市（旧宍粟郡神戸村）

【かんど】静岡県榛原郡吉田町神戸・**愛知県**弥富市神戸・**鳥取県**鳥取市（旧気高郡神戸村）

【かみど】福島県石川郡玉川村吉神戸・**山梨県**南都留郡山中湖村神戸・**静岡県**裾野市山ノ神戸・**愛知県**岡崎市山神戸・豊田市上八神戸・新城市山ノ神戸・東海市山神戸・額田郡幸田町神戸

【かみと】福島県田村市神戸前・兵庫県明石市山ノ神戸 **【かのと】東京都**檜原村神戸

【じんど】愛知県安城市神戸・知多郡武豊町明神戸（みょうじんど）

【じんご】岡山県津山市神戸 **【かど】鳥取県**日南町神戸上（かどのかみ）

ＮＢＡの今世紀ナンバーワンのスーパースターとされるコービー・ブライアント（Kobe Bean Bryant）の「コービー（Kobe）」という名は、彼の父が大好きだった神戸ステーキに因んで付けられたそうだ。日本人ならステーキ以外にも「百万ドルの夜景」「国際貿易港」「震災からの復興」など、神戸という都市に様々なイメージを抱くだろう。**神戸**は国内のみならず、世界に名を知られた国際都市だが、実は、神戸という地名は全国に70カ所以上もある。

ただ、全国各地の神戸のほとんどは「こうべ」ではない。漢字で書くと同じ「神戸」だが、読み方は「ごうど」「かんべ」「かのと」など様々だ。その由来は、奈良時代まで遡る。各地の神社に属して神社に税や雑役を納める民の集落を神戸（かんべ・じんこ）や神部（かんべ・かむべ）などと呼んだのがその始まりとされる。神戸市の場合は、生田神社の社領だったことがその名の由来で、現在の三宮や元町付近が「神戸」と呼ばれていた。静岡県富士市の神戸は浅間神社、岐阜県安八郡の神戸町は日吉大社、三重県鈴鹿市の神戸は伊勢神宮の社領であったと伝えられている。神戸という地名は愛知県にもっとも多いが、熱田神宮や伊勢神宮の社領が多かったためだ。ただ、全国の神戸には由来が不明のものも多く、伊豆七島の神津島の神戸山のように明らかに由来が異なる場合もある。神戸山の「こう」は「高い」、「べ」は「辺」、「島の辺（へり）の高い山」の意味に「神戸」という漢字を当てたようだ。

余談だが、同じ地名など他にありそうには思えない東京も長野県の旧鬼無里村に「東京」、京都は福岡県東部に「京都郡」という地名がある。ありそうで他にないのが大阪だ。

11

NAZOTOKI

大阪国際空港（伊丹空港）の敷地内が飛び地だらけの謎

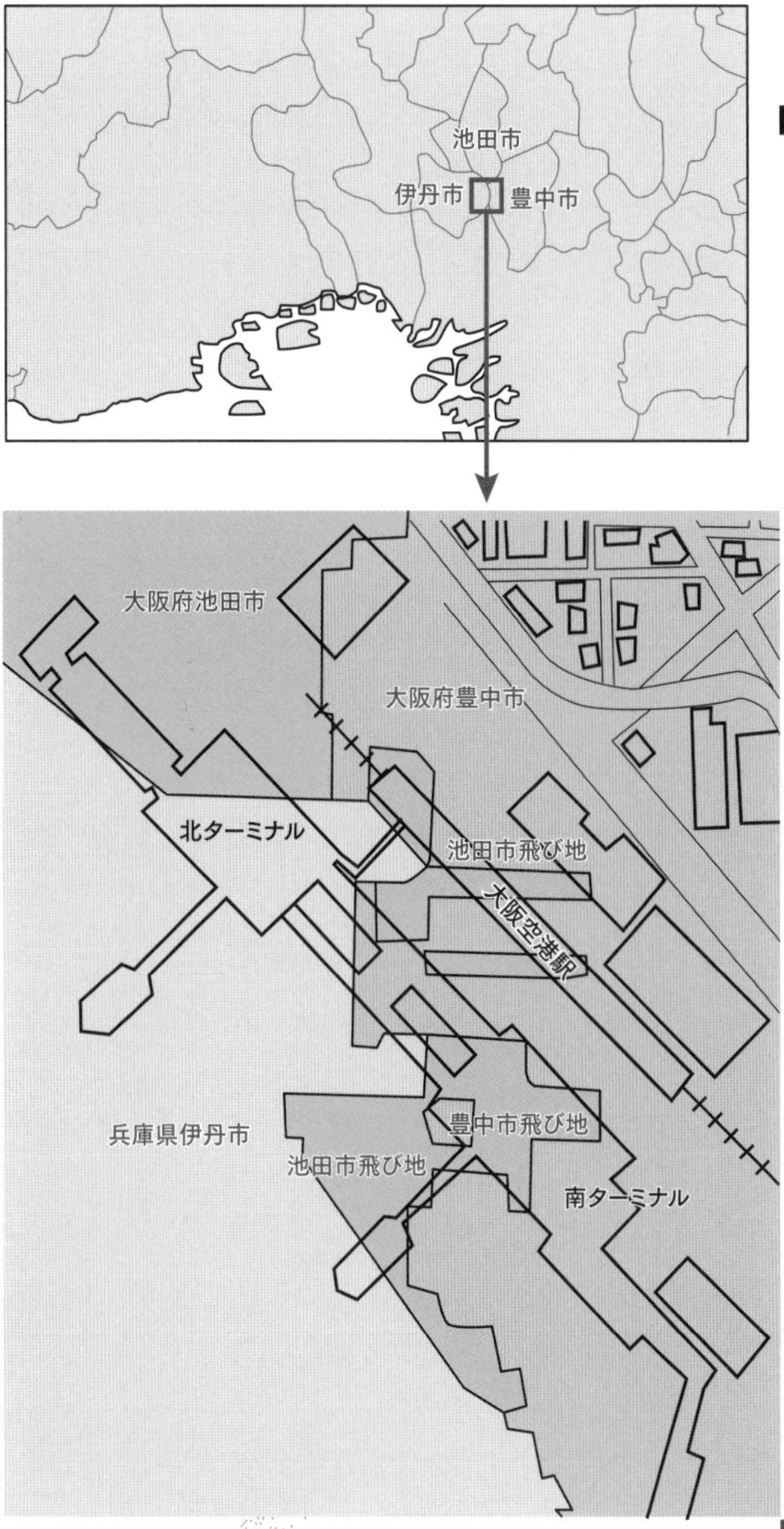

大阪国際空港は通称「伊丹空港」の名で知られている。ただ、伊丹市は兵庫県だが、ターミナルビルやモノレールの大阪空港駅など空港施設の大半があるのは大阪府内だ。さらに大阪府といっても、空港内は**豊中市**と**池田市**の市域が複雑に入り組んでいる。例えば、大阪空港駅を降り、南ターミナルビルで搭乗手続きをしてフィンガーコンコースを通り、目的の飛行機に搭乗するまでには、利用客は豊中市↓池田市↓豊中市↓池田市と10回ほど両市の境界線を跨ぎ、最後に府県境を越えて**兵庫県伊丹市**でやっと搭乗することができる。搭乗機は兵庫県内の滑走路を走り、再び府県境を越えて大阪府内から飛び上がる。

空港の敷地は、概ね西側が伊丹市、東側が豊中市、北側の一部が池田市の市域だが、詳細な地図で見ると伊丹市と豊中市に挟まれた池田市の飛び地が6カ所も存在し、さらに、この池田市の飛び地の中にまた豊中市の飛び地があり、大阪府側に伊丹市の飛び地がある。

市境や県境が複雑に交錯していたり、飛び地になっていたりする事例は、P.45の福岡・佐賀県境、P.63の大垣市のように全国にはしばしば見られる。しかし、ここまで複雑に入り組んでいる場所は特異である。

いつ頃から？　なぜ？　当然それらが気になる。江戸時代の古地図には、すでにこれら飛び地が記載されている。その理由として考えられるのは、中学校の歴史授業で習ったあの「太閤検地」である。当時このあたりは大きな一つの村だったが、検地の際に徴税しやすいように村は数カ村に分割され、そのため、所有する田畑が自分が住む村ではなく、別の村の中に取り残されるということが生じ、その土地が飛び地として今に残ったという。

また、これらの飛び地は、どれも定規で引いたような多角形だが、条里制の名残りだろう。条里制とは古代の律令体制下において施行された土地区画制度で、近畿地方には今でも条里制の区割りが残っている地域が多い。

これだけ境界線が複雑だと空港の運営や行政面で支障が生じないだろうかということも気になるが、飛行機の離発着にはまったく影響はないそうだ。ただ、固定資産税の分配は飛び地の関係で複雑だという。電話の市外局番は空港内は伊丹市であれ、池田市であれ、大阪市内と同じ「06」で、池田市や伊丹市の他の地区とは局番が異なっている。

敷地が3市にまたがるのにこの空港が一般に「伊丹空港」と呼ばれるのは、戦時中の名称が陸軍伊丹飛行場だったことに由来する。正式名称は「大阪国際空港」だが、現在、国際便は就航していない。ちなみに、大阪市周辺には、あと関西国際空港（関空）と神戸空港、定期便は就航していないが八尾空港がある。都心から1時間以内に四つも本格的な空港があるのは大阪だけである。

12

NAZOTOKI

「飛鳥」と書いて、なぜ「あすか」と読むの？

大阪府羽曳野市飛鳥付近

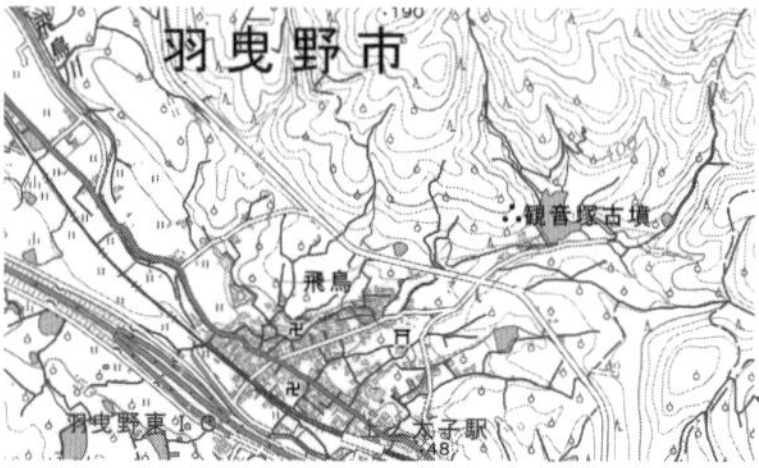

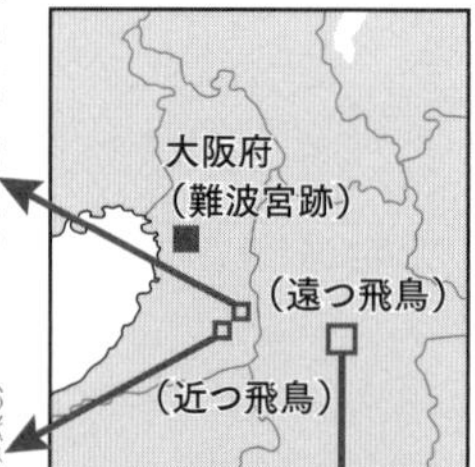

大阪府河南町「近つ飛鳥風土記の丘」付近

奈良県明日香村付近

地理院地図

「飛鳥文化」「飛鳥時代」など歴史の授業で馴染みの飛鳥は、奈良盆地南部の高市郡明日香村一帯の地名である。この地名の語源については、地上絵で知られるペルーのナスカとの関連説があるくらい多くの説があるが、今なおはっきりしたことはわからない。

それにしても、なぜ「**飛鳥**」と書いて「**あすか**」と読むのだろうか。5世紀頃から使われ始めた万葉仮名では「明日香」や「安須可」など音と一致した表記で表されている。「飛鳥」という表記が使われ始めるのは7世紀後半頃からだ。その由来は万葉集などに見られる枕詞だと考えられる。万葉集に柿本人麻呂が詠んだ「飛ぶ鳥の　明日香の川の　上つ瀬に　石橋渡し　下つ瀬に　打橋渡す」という歌がある。「飛ぶ鳥」は「明日香」を修飾する枕言葉として使われていた語句だったのが、いつしか「あすか」に「飛鳥」の漢字を当てるようになったようだ。同じような例として、「春日の滓鹿」「日の下の草香」「長谷の泊瀬」の場合も、本来はそれぞれの地名にかかる枕言葉であった「春日」が「かすが」、「日下」が「くさか」、「長谷」が「はせ」を表す漢字表記として定着するようになった。

なお、大阪府の南東部、現在の羽曳野市や河南町にも飛鳥という地名がある。こちらの飛鳥も起源は古く、古事記によると5世紀頃には「**近つ飛鳥**」と呼ばれ、これに対し、奈良の飛鳥は「**遠つ飛鳥**」と呼ばれていた。大阪が「近つ」で奈良が「遠つ」というのは逆に思えるが、これは当時、都が難波（大阪市）にあったからだ。どちらの飛鳥も古代の官道である竹内街道沿いにあり、渡来人技術者が住み、現在も多くの古墳や遺跡が残されている。

13

NAZOTOKI

京都市では、左京区が右側に、右京区が左側にある謎

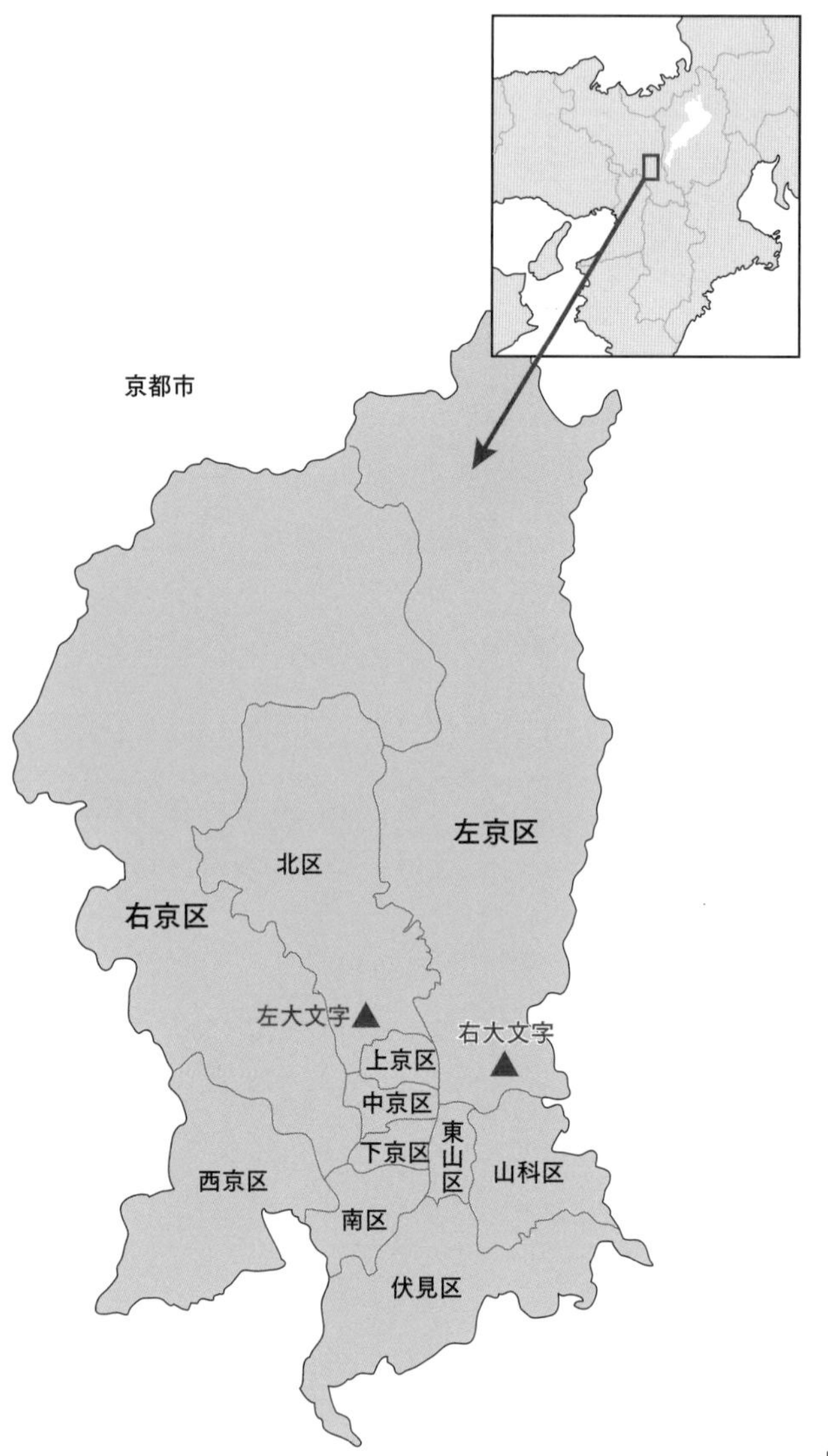

右の地図でわかるように京都市は11の行政区に区分されている。その内の六つの区の名が〝京〟の字を含むのはいかにも京都らしい。京都御所があるのが上京区、そこから南へ中京区、下京区と続き、桂川の西側が西京区、そして、京都御所の東西に左京区と右京区がある。しかし、地図で確認すると、左京区が右に右京区が左にある。一見、不思議に思えるが、もちろん間違っているわけではない。右ページの地図の位置関係は確かに左右が逆だが、これはあくまでも北を上にして描く現代の地図ではそうなるだけのことだ。

「左京」「右京」という地名には1000年以上の歴史がある。平安京や平城京など日本の都は、長安など古代中国の王城都市をモデルに造営されたことは学校で習うが、当時の中国には**「天帝は北辰に座して南面す」**という思想があった。皇帝は不動の北極星を背にして南に向かって君臨するとされ、皇帝が政務を執る宮城は、都の北端中央に位置し、そこから南に向かって市街地が広がる区画になっていた。中国に倣った平安京も、同様の区画を取り入れており、都の中央を貫く朱雀大路の東側を左京、西側を右京と呼んでいた。つまり、内裏(御所)から見た場合の左右なのだ。

ただ、京都の夏の風物詩である京都五山の「大文字の送り火」では、左大文字は西、大文字(右大文字とも言う)は東の山に点火される。左京区の大文字山に点火されるのは、左大文字ではなく右大文字である。紛らわしいが、この行事が定着したのは江戸時代、御所から見た左右ではなく、この場合は都の人々が暮らす市内から五山を見た場合の左右なのだ。

14

NAZOTOKI

大阪ミナミの繁華街、「道頓堀」や「心斎橋」の名の由来は？

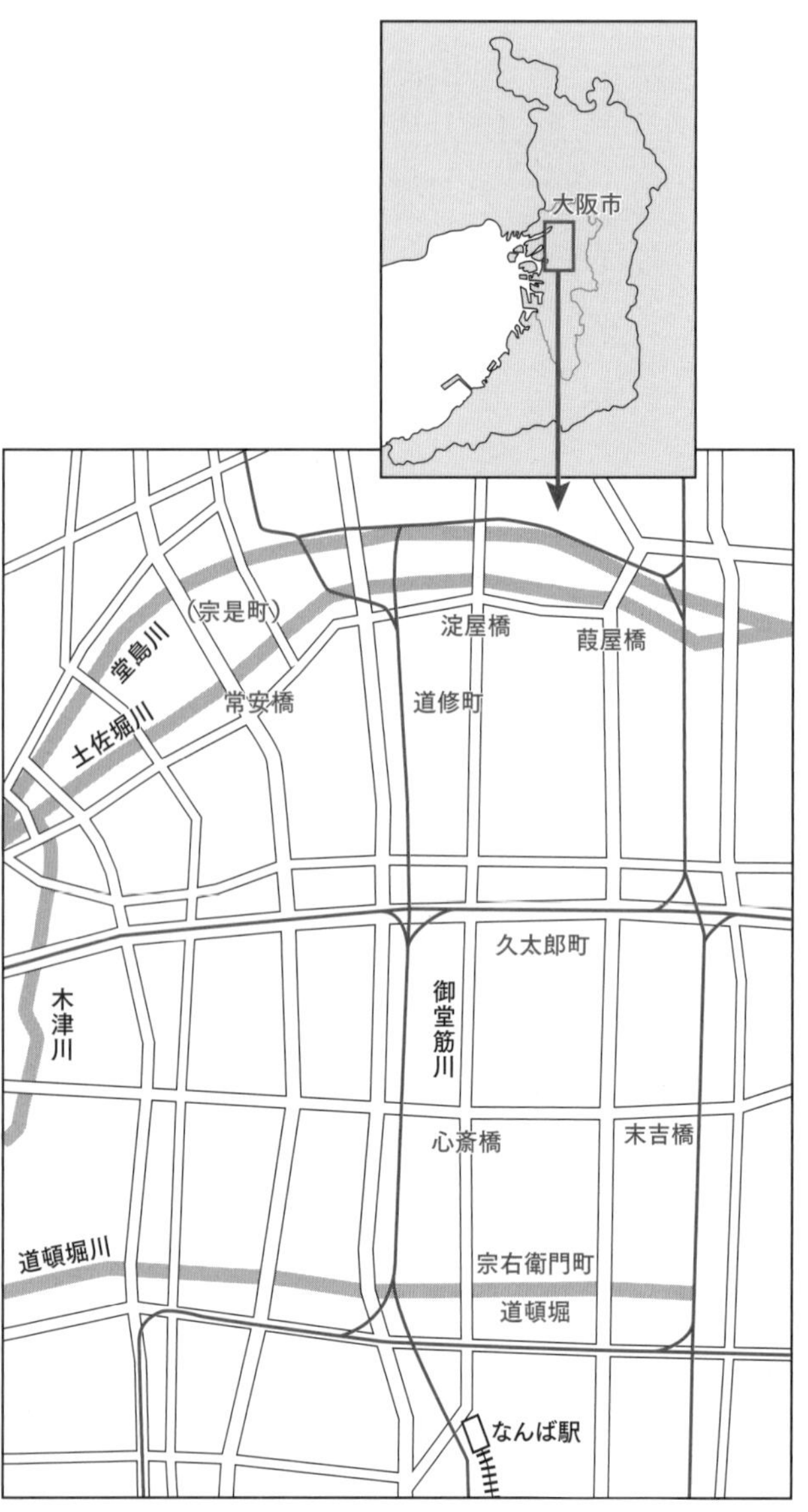

阪神タイガースの優勝やＦＩＦＡワールドカップの日本チームの活躍に狂喜乱舞したファンが橋の上から川面に次々と飛び込む様子がテレビで放映されたのをご覧になったことがあると思う。「道頓堀(どうとんぼり)ダイブ」として今や大阪の風物詩のようになってしまった。

この道頓堀川一帯は、ミナミと呼ばれる大阪を代表する繁華街で、ファッション、グルメ、エンターテインメントなど何でも揃い、近年は外国人観光客も多く訪れる人気スポットだ。道頓堀から北に延びる心斎橋筋は、東の銀座に匹敵する関西最大のショッピンク街として、平日でも６万人、休日には10～12万人の買い物客で通りが埋まってしまう。

この道頓堀や心斎橋という地名は全国的にも知られているが、それらの由来が興味深い。

道頓堀は、安井道頓という人物が江戸時代初めに私財をなげうって運河の開削に着手し、従弟の安井道卜が完成させたことが地名の由来とされ、大正時代に建立された紀功碑の銘文にもその記載がある。ただ、その後の研究で、安井道頓は架空の人物であることが判明している。大坂夏の陣で戦死した成安道頓という別人と、運河開削に貢献した安井道卜が姻戚関係にあったことから両者が混同されたようだ。

心斎橋は、道頓堀川と同じ頃に長堀川を開削した有力町人の一人である岡田心斎が、工事の終了後に両岸に住む人々の往来の便を図るために橋を架けたことがその名の由来だ。ただ、昭和40年頃、長堀川が埋め立てられて橋としての心斎橋は消滅し、残念ながら現存しない。

「**天下の台所**」と呼ばれ、江戸時代には日本の物流・商業の中心地として栄えた大阪（当時は、大坂）は「町人の都」とも呼ばれていた。18世紀中頃の江戸の人口は、武士が約60万人に対し、町人は武士より少なく約50万人、一方の大坂の人口は約40万人だったが、武士は1万人ほどに過ぎず、大坂の繁栄を支えたのは町人たちであった。大坂では、有力な町人が運河や川を整備し、橋を架け、町割りをした。そのため、大坂には道頓堀や心斎橋のように町人の名に由来する地名が今も多く残る。

高級クラブや老舗料理店が軒を連ねる**宗右衛門町**（そうえもん）は、道頓堀川の開削に関わった町年寄りの山口屋宗右衛門に由来する。京阪電車のターミナル駅がある**淀屋橋**は、豪商淀屋个庵（こあん）が土佐堀川に架けた橋の名であり、1㎞ほど下流の**常安橋**（じょうあん）は、个庵の父の淀屋常安が架けた橋の名だ。武田、第一三共、田辺三菱、塩野義など国内トップの製薬メーカーがオフィスを構える**道修町**（どしょう）は、この地で開業した薬学者でもある北山道修（どうしゅう）、東横堀川に架かる**末吉橋**は江戸時代初期に朱印船貿易で活躍した豪商末吉孫左衛門、**葭屋橋**（よしや）は天保年間に遊郭を開いた葭屋庄七に由来する。区画整理などで今は消滅したが、大阪には明治までは他にも九之助町、次郎兵衛町、与左衛門町、久太郎町など町人由来の町名が多くあったという。

人名由来の地名は東京にも見られるが、信長の弟の織田有楽（うらく）に由来する有楽町（ゆうらく）、旗本の永田伝十郎に由来する永田町、伊賀忍者の頭領服部半蔵に由来する半蔵門、江戸町奉行を務めた青山忠成に由来する青山、幕末の兵学者高島秋帆（しゅうはん）に由来する高島平など「将軍様のお膝元」の江戸（東京）の場合は武士の名に因んだものが多い。

15

NAZOTOKI

岐阜県に大垣市が3ヵ所ある謎

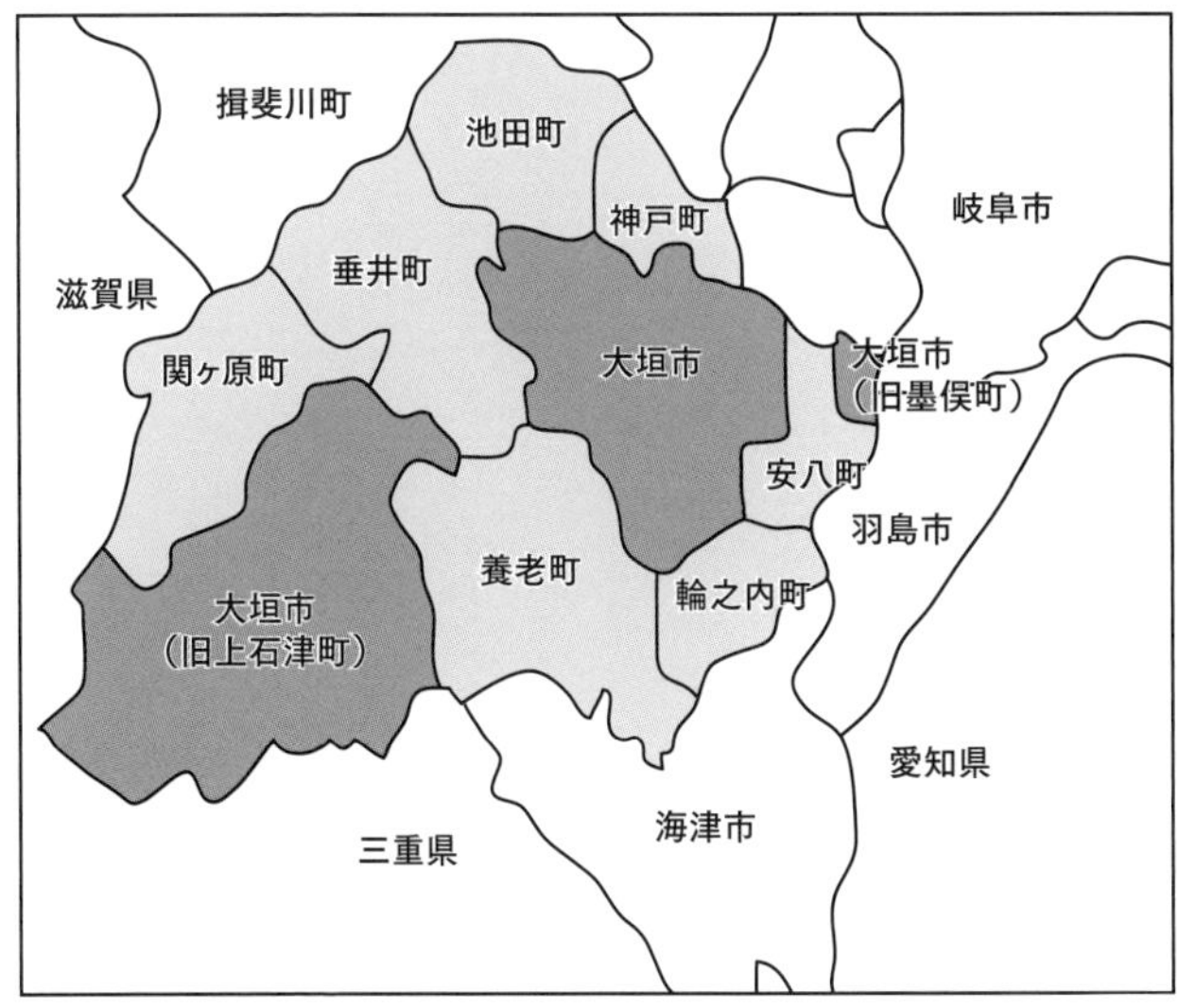

２０００年頃から、政府は自治体を広域化することによって行財政の効率化を図る市町村再編政策を推し進めた。いわゆる「**平成の大合併**」である。岐阜県でも99あった市町村が42に再編されたが、当時、県の南西部の西濃地区では、**大垣市**を核とし、人口30万の中核市への移行を視野に入れた合併計画が進められていた。

２００３年には、10市町村が参加する西濃圏域合併協議会が発足し、新市の実現へ向けて順調に協議が重ねられた。しかし、安八（あんぱち）町が突然この合併計画からの離脱を表明する。協議すべき課題が多くあるにもかかわらず、それらの解決が新市の成立後に先送りされることに同意できないというのがその理由とされた。どうも議員数が減ることが地元議員には大問題だったようだ。10市町を合計すると議員数は１７０人にもなるが、合併後は46人に減る見込みとなり、そうすると人口16万人の大垣市は28人から23人へ５人減るだけだが、1.5万人の安八町は16人から２人へ８分の１に激減してしまう。関ケ原町や輪之内町はたった１人、議員の先生方にとっては死活問題だ。もちろん、首長や議員の数が減ることは、人件費削減という財政効果があるという見方もあるが、その反面、住民の間には、地域住民の声が行政にしっかり届かなくなるのではという不安もあった。

関ケ原町、垂井（たるい）町、神戸（ごうど）町は合併の賛否を問う住民投票を実施するが、３町とも反対多数となり、その結果を受けて協議会離脱を決定する。この状況変化に対し、輪之内町と池田町も合併を白紙に戻すことになり、西濃地区の大合併構想は完全に頓挫した。

結局、大垣市、墨俣(すのまた)町、上石津町だけで合併を成立させることになる。墨俣町は、当時、全国一面積の小さな町で、1957年にも大垣市との合併を議会が決議したことがあったが、飛び地になるので認められないと県に却下された経緯があった。上石津町は西濃地区でもっとも高齢化が進んでおり、財政力のある大垣市の合併に期待するところが大きかった。しかし、この3市町は境界を接していなかったため、全国で唯一市域が3カ所に分かれるという不可思議な市が誕生することになる。旧墨俣町と旧上石津町からはそれぞれの2名の市会議員が選出され、地域の声を尊重した行政が運営されているが、旧上石津町が大垣警察署ではなく、養老警察署の管轄になっていたり、旧墨俣町から大垣中心部へのバスの本数が岐阜市内方面へのバスよりも少ないなど、飛び地ゆえの課題は少なくはない。

全国では合併特例法が適用された1999~2006年に570件の合併があったが、十数年を経て、ようやく「平成の大合併」の検証が始まっている。小規模の市町村が減少し、行政基盤の強化や行政運営の効率化という点では一定程度達成したとの評価があるが、新たな問題点も指摘されている。まず、顕著になってきたのは中心部から離れた周辺地域の衰退である。それまで地域の中心として多くの職員が働いていた役場がなくなると、続いて農協や商工会なども統廃合、事業所の撤退という連鎖が生じ、地域の活気が失われ、それが過疎化、産業の衰退へと繋がってしまうのだ。「おらがマチ」「おらがムラ」という住民の郷土意識が希薄になってきたことも否めない。

16

NAZOTOKI

愛知県と神奈川県にある「○○遊園」駅、周辺に遊園地が見当たらないのはなぜ？

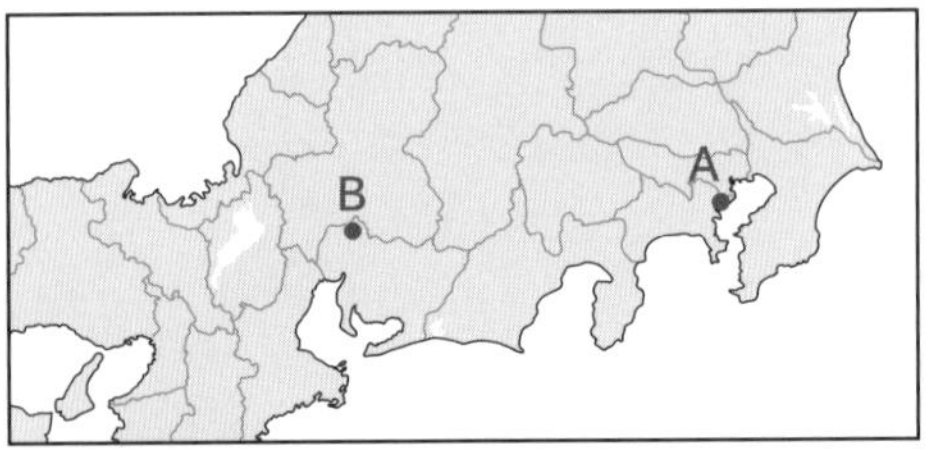

A　小田急「向ケ丘遊園」駅付近（神奈川県川崎市）

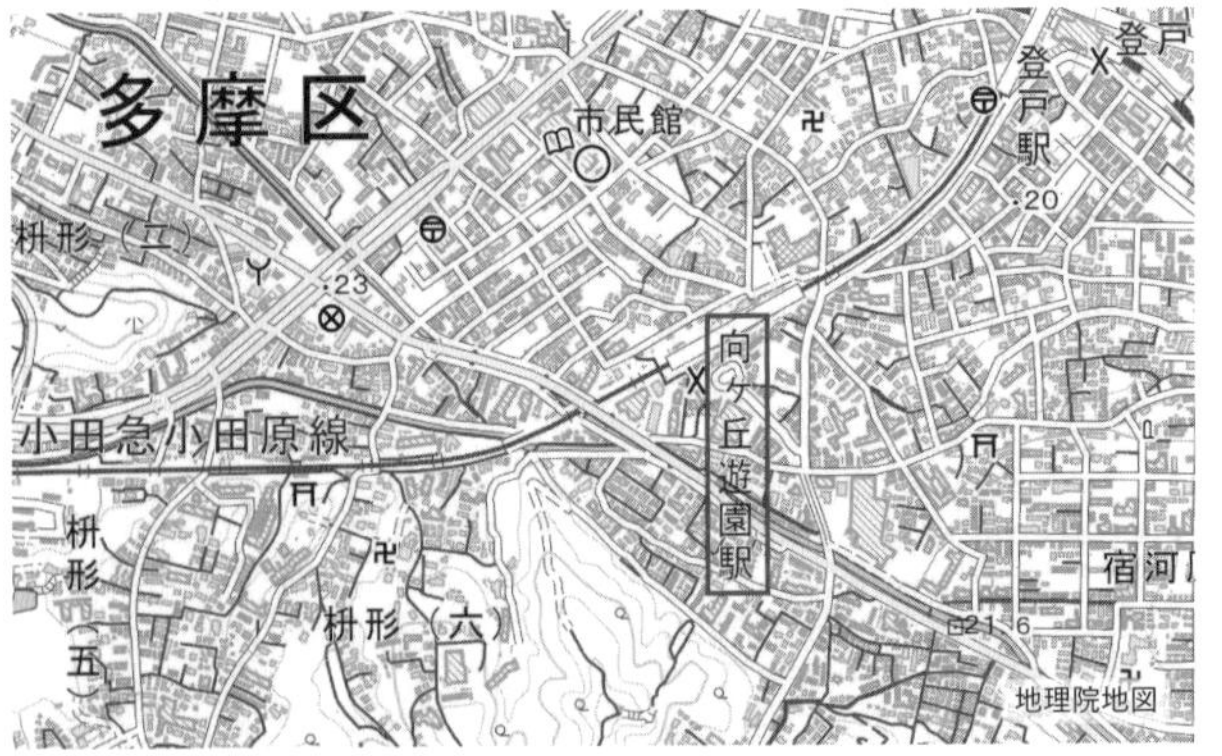

B　名鉄「犬山遊園」駅付近（愛知県犬山市）

愛知県北部を走る名鉄犬山線に「**犬山遊園**」という駅がある。ただ、この駅を降りても犬山遊園という遊園地はどこにもない。戦後間もない時期に確かに小さな遊園地があったのだが、1956(昭和31)年、東方の丘陵地に犬山ラインパーク(現日本モンキーパーク)という本格的な遊園地が開園するとこの遊園地は消滅した。60年以上たった現在、「犬山遊園」という駅名は残るが、地元住民でもかつてここに遊園地があったことを知る人は少ない。

神奈川県にもよく似たケースがある。川崎市内の小田急線「**向ヶ丘遊園**(むこうがおか)」駅だ。やはり、駅周辺に遊園地はない。向ヶ丘遊園は戦前からの歴史を持ち、地域の人々に親しまれてきた遊園地だったが、2002(平成14)年に閉園されている。実は東京周辺ではこのような例は珍しいことではない。東急東横線の「学芸大学」駅と「都立大学」駅の場合も、学芸大学は1964年、都立大学は1991年に郊外に移転し、今では駅を降りても大学はない。

駅名の由来である遊園地や大学がなくなったのに、なぜ駅名がそのままなのだろうか。犬山遊園や向ヶ丘遊園の地元では、この駅名が駅周辺地域の通称として、長年、住民に親しまれており、大学駅の場合も、銀行やコンビニに○○駅前店という名称が使われるなど、今では地名として地域に定着しているため、鉄道会社が駅名変更を見送ったという。

大阪府内の南海高野線にも、かつて「**狭山遊園前**」という駅があった。駅名はやはり近くに狭山遊園という遊園地があったことに由来する。ピーク時には年間50万人を超える人々で賑わっていたが、時代の波には勝てず、この遊園地も2000年に閉園した。ただ、こちらは遊園地が閉園すると、すぐに駅名は「大阪狭山市」と改称された。同じ大阪だが、阪急千里線の「関大前」駅も、戦後の一時期、やはり近くにあった遊園地の名を取って「**千里山遊園**」と呼ばれていた。あまり知られていないが、実は、この駅は「花壇前」→「千里山遊園」→「千里山厚生園」→「女学院前」→「花壇町」→「関大前」と、付近の施設が変わるたびに5回も駅名が変更された駅名変更回数日本一の駅である。

もう一例紹介する。かつて島根県の一畑電鉄にあった「ルイス・C・ティファニー庭園美術館前」駅は、日本一長い名の駅として全国に知られ、ここを多くの鉄道ファンが訪れた。しかし、肝腎の美術館の入場者がさっぱり伸びず、2007年に美術館が閉鎖され、駅名は「松江イングリッシュガーデン前」駅に改称されてしまった。

関西では、「もう遊園地（美術館）があらへんのに、遊園ちゅう駅名は変やで」と、地域の実態に合った駅名でなければ住民は納得しない。しかし、東京の人々は（愛知県もそうだが）、そのあたりは寛容というか、「みんなが馴染んで使っている駅名なら別にいいんじゃない」と、そこに遊園地や大学が実際にあるかどうかは問題にしない。「名より実」にこだわる関西人と「実より名」を重んじる関東人の気質の違いだろうか。

ちなみに、向ヶ丘遊園跡地には2011年に「藤子・F・不二雄ミュージアム」がオープンしたが、いっそ向ヶ丘遊園駅を「藤子・F・不二雄ミュージアム前」に改称（バス停名はすでに改称）すると、日本一長い名の駅になるかもしれない。

17

NAZOTOKI

3000m級の山々が連なる「日本アルプス」はどうやってできた？

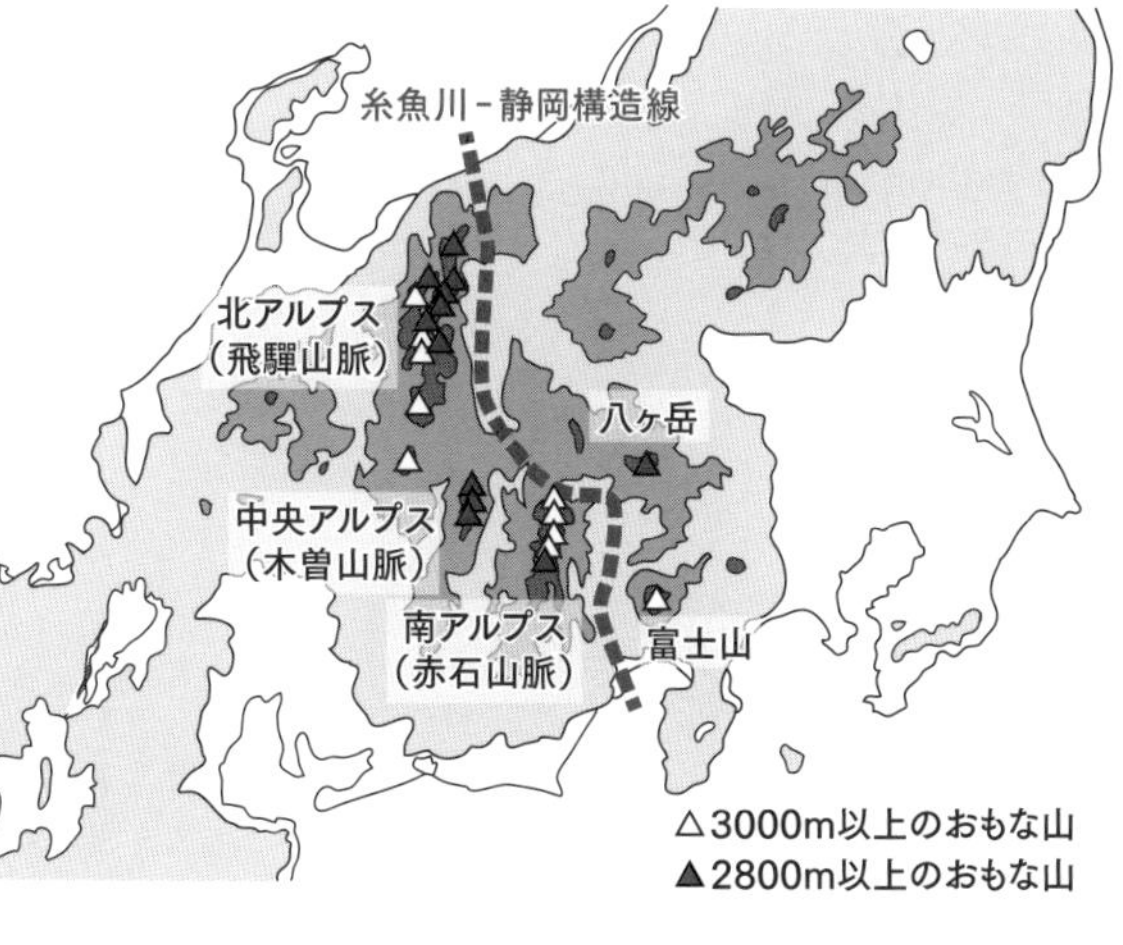

プレートとは地球表層部を覆う板状の岩盤のことで、地球表面は十数個のプレートに分けられる。それぞれのプレートは水平方向に移動し、プレートの境界部ではプレート同士が離れたり、衝突したりするため、地震や火山活動などが活発になる。

「日本アルプス」とは、本州中央部に連なる飛騨・木曽・赤石の三つの山脈の総称である。この呼称は、明治中頃に来日したイギリス人鉱山技師のW・ガウランドが、自著の中でこれらの山々をヨーロッパのアルプス山脈にちなんで「Japanese Alps」と紹介したことに由来する。後に、紀行文学者であり登山家の小島烏水が、飛騨山脈を**「北アルプス」**、木曽山脈を**「中央アルプス」**、赤石山脈を**「南アルプス」**と区分する。富士山を除けば、日本では3000m級の山々はこの3山脈にしかなく、**「日本の屋根」**とも呼ばれている。

しかし、なぜ、本州の中央部だけにこのように高く険峻な山々があるのだろうか。日本列島は、四つのプレートが衝突する変動帯に位置している。ユーラシアプレートが北アメリカプレートの圧力を受けて褶曲し、どんどん高く盛り上がって形成されたのが、日本アルプスと呼ばれる山々である。日本アルプスの東側を本州を横断するように南北に続く断層帯は**「糸魚川－静岡構造線」**と呼ばれている。南からフィリピン海プレートに押されている南アルプスは、現在でも山頂付近では年間約4㎜、麓付近では約1㎜ほど隆起し続けている。

なお、隆起は数百万年前から始まったと考えられているが、それ以前の日本アルプスは海の底であったことも研究で明らかになっている。山頂付近の地層からは海のプランクトンである放散虫の化石が見つかるというが、日本アルプスは1億年前から2000万年前頃までは、赤道付近にあったという。

18

NAZOTOKI

長野県にあるはずの「軽井沢」が隣の群馬県にもあるのはなぜ？

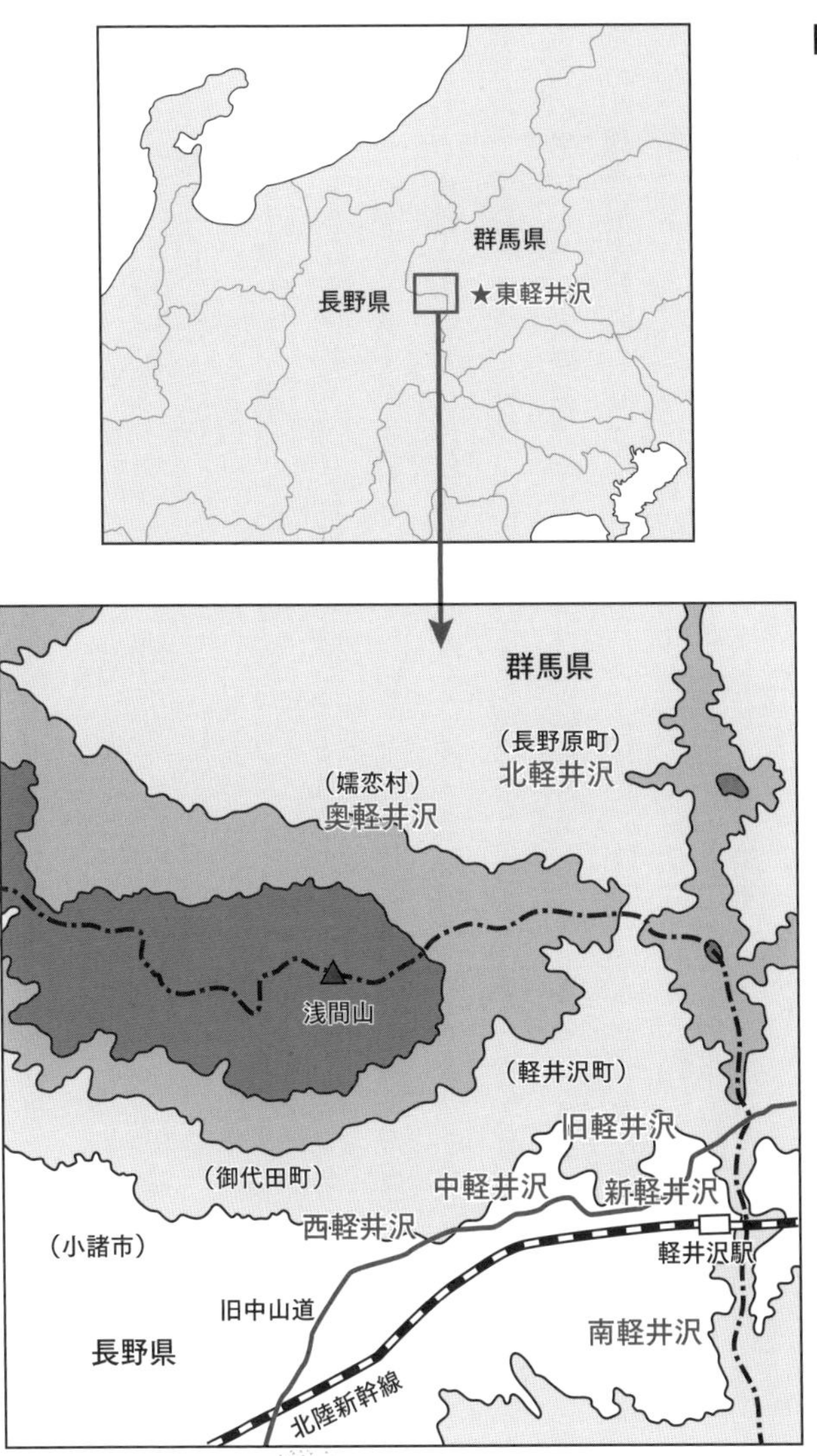

軽井沢は、明治中頃に外国人宣教師たちが別荘を建てたことに始まり、東京から鉄道が直結すると日本人の別荘も増え、以来、日本を代表する避暑地として発展する。軽井沢の現在の別荘数は約1万6000棟、富士五湖周辺や八ヶ岳山麓に多くの別荘地が開かれている山梨県1県の全別荘数とほぼ同じであり、市町村別では断トツの全国1位である。近年は別荘利用者だけではなく、観光、ショッピング、スポーツ、芸術鑑賞など訪れる人の目的は多様化し、軽井沢の年間観光客数は沖縄一県とほぼ同じ約850万人に達する。

軽井沢は東京から北陸新幹線「はくたか」で約1時間、長野県東部の浅間山南麓、標高が1000mほどの高原に位置する。しかし、前ページの地図をご覧頂きたい。北軽井沢、東軽井沢、奥軽井沢は、県境を越えた群馬県側にあり、北軽井沢は軽井沢から北へ約30kmも離れている。ただ、**東軽井沢**や**奥軽井沢**は、軽井沢ブランドにあやかろうとした地元の観光施設の通称で正式な地名ではない。しかし、北軽井沢は群馬県吾妻(あがつま)郡長野原町大字(おおあざ)北軽井沢が正式地名であり、そのルーツは古い。この地方は冬には極寒となり、かつては定住する人はなく、地名らしいものはなかったが、大正に入り、軽井沢と草津温泉を結ぶ軽便鉄道が開通すると、沿線に土地を所有していた法政大学がそこに教育と共同生活の理想郷をつくろうと、大学関係者や文化人に土地を分譲し、別荘地として開かれてゆく。この別荘地の最寄駅に、大学が駅舎を寄贈し、「**北軽井沢**」と名付けられたのを機に、その後、この地域の地名として北軽井沢が定着する。現在、各地に見られるようになった観光目当てのあやかり地名ではなく、１００年の歴史を持つ由緒のある地名なのだ。

本来の軽井沢は、江戸時代に栄えた中山道の宿場町で、現在、**旧軽井沢**と呼ばれている地域である。江戸からの旅人が碓氷（うすい）峠の難所を越えて最初の宿場であり、最盛期には１００軒近い旅籠（はたご）があったとされる。明治になって宿駅制度が廃止され、新しく建設された国道や鉄道のルートから外れると、旧軽井沢地区は一時寂れるが、明治中頃、欧米人が避暑に利用したことをきっかけに、別荘地して賑わいを取り戻す。また、旧軽井沢の２kmほど南に「軽井沢」駅が開設されると、駅周辺に新しい街ができ、**新軽井沢**と呼ばれるようになる。

中山道軽井沢の次の宿は４kmほど西の沓掛（くつかけ）で、信越本線に開業した駅の名も「沓掛」だった。しかし、高度経済成長期を迎えた昭和30年代、ちょうど皇太子殿下と美智子妃の軽井沢の出会いが大きな話題となったこともあり、軽井沢に未曾有の観光ブームが訪れる。当時、沓掛も避暑地としての開発は進んでいたが、軽井沢とは知名度に大きな差があった。そこで、軽井沢の発展に続こうと、沓掛の商工会や不動産業者は町当局に働きかけ、駅名を「沓掛」から「中軽井沢」に変え、地区名も**中軽井沢**に改称したのだ。中軽井沢という名は軽井沢町の中央に位置することによる。**西軽井沢**の場合も事情はほぼ同じだが、こちらは軽井沢町内ではなく、西に隣接する御代田町（みよたまち）の観光協会や商工会が、やはり、軽井沢を訪れる観光客をターゲットに、昭和40年代からの盛んに西軽井沢の名を使うようになった。

かつては一宿場に過ぎなかった軽井沢の名は今では２県５市町村に広がっている。

19

NAZOTOKI

東京に「坂」や「谷」が付く地名が多いのはなぜ？

東京のおもな坂と谷

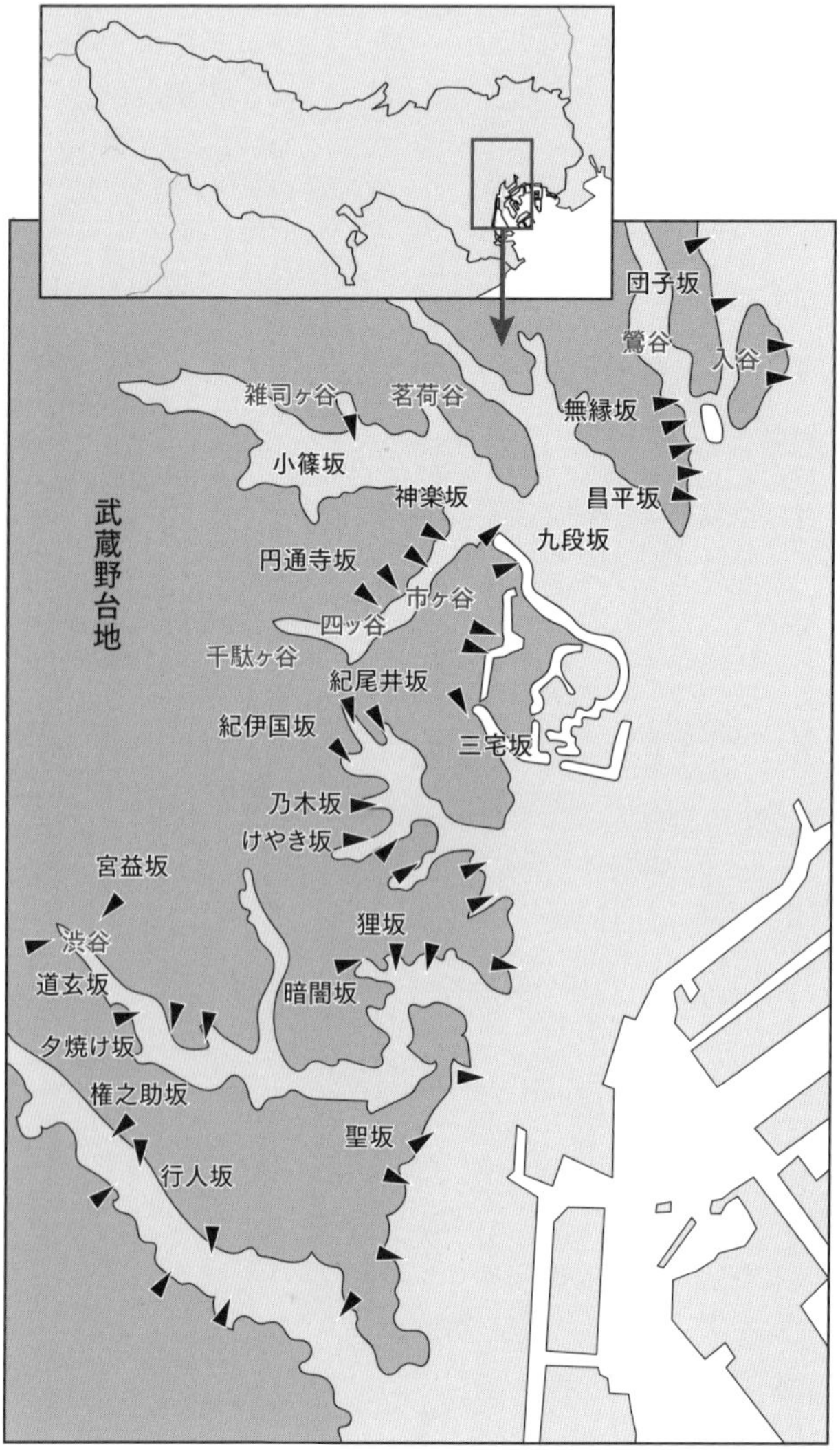

ＴＢＳがある赤坂サカスの「サカス」という名には、赤坂にはたくさんの坂があることから「坂ｓ（坂の複数形）」という意味があるそうだ。一説によると、東京23区内には「坂」の付く地名が１０００以上もあるという。赤坂、乃木坂、道玄坂、神楽坂などはよく知られているが、追いはぎ坂（大田区）や幽霊坂（千代田区他）、お化け坂（新宿区）のような物騒な名の坂、ゼームス坂（品川区）やグランド坂（新宿区）のようにヨーロッパの地名を思わせる坂、そよ風坂（世田谷区）、夕焼け坂（渋谷区）、ドレミ坂（江東区）など散歩に訪れてみたくなる坂もある。もっとも多いのは富士見坂で、都内だけで約20箇所もある。

他に「坂」の付く地名が多い都市は「坂のまち」として知られる長崎の78、六甲山麓に市街地が広がる神戸の28だが、筆者の地元の名古屋などはたった1箇所だ。東京の坂の多さは群を抜いている。神戸や長崎のように山麓の傾斜地に立地した都市ではなく、また、都内のどこにも山らしい山のない東京に、なぜこれほど多く「坂」の付く地名があるのだろうか。

その理由は、まず東京特有の地形にある。東京23区は高台の山の手と低地の下町に分かれ、山の手は、荒川から多摩川の間に広がる**武蔵野台地**の東端部にあたる。武蔵野台地の海抜は20～40ｍほどで、西から東へ緩やかに傾斜しており、神田川や目黒川などに浸食された谷が複雑に入り組んでいる。そのため、都内には坂だけではなく、千駄ヶ谷、四ッ谷、渋谷など谷の付く地名も多い。山の手と下町の高低差は20ｍほどで、その境界部分は崖状の急斜面になっており、江戸から東京へ都市の発展に伴い、そこに多くの坂道がつくられたのである。

歴史的な背景もある。東京つまりかつての江戸は、徳川家康が入封するまで、江戸城周辺は湿地や竹の生い茂る荒地で、住む人も少なく、地名すらない場所ばかりであった。しかし、幕府が開かれ、城下町の整備が進んで人口が増えると、江戸は「八百八町」と呼ばれる大都市に発展し、当然そこに多くの新しい町名が生まれる。江戸の町は、武家地、寺社地、町人地に区分され、山の手は武家地として大名や旗本の広大な武家屋敷に占められていた。ただ、町名はあっても現在のように丁目や番地があるわけではなく、広大な武家地では場所を特定する場合、さらに何らかの目印が必要であった。その目印として各所にある坂が最適だったのだ。坂の近くにある樹木から欅（けやき）坂や紅葉坂、夜は暗いので暗闇坂、海が見えるので潮見坂、お地蔵様が祀られているので地蔵坂、墓地のそばなら幽霊坂、狸がよく出る狸坂などその土地の特徴に因んで、このように多くの坂に名が付けられたのである。

明治以降も、多くの坂に新しい名が付けられた。ゼームス坂は、明治初期にこの坂の近くに住んでいたゼームスというイギリス人が私財を投じて坂の改修を行なったことからそのように呼ばれるようになり、乃木坂は、乃木神社に祀られている乃木希典（のぎまれすけ）大将を偲んで乃木坂と名付けられ、フランス大使館に向かう坂なのでフランス坂、音楽関係の店が多いのでオルガン坂などユニークな名の坂がその後も誕生した。

しかし、都内の各所に見られる多くの坂の名は、このように自然発生的に生まれた通称や俗称であり、大半は正式な地名ではない。

20

NAZOTOKI

栃木県に見つけた「おもちゃのまち」には何がある？

おもちゃのまち付近
（栃木県下都賀郡壬生町）

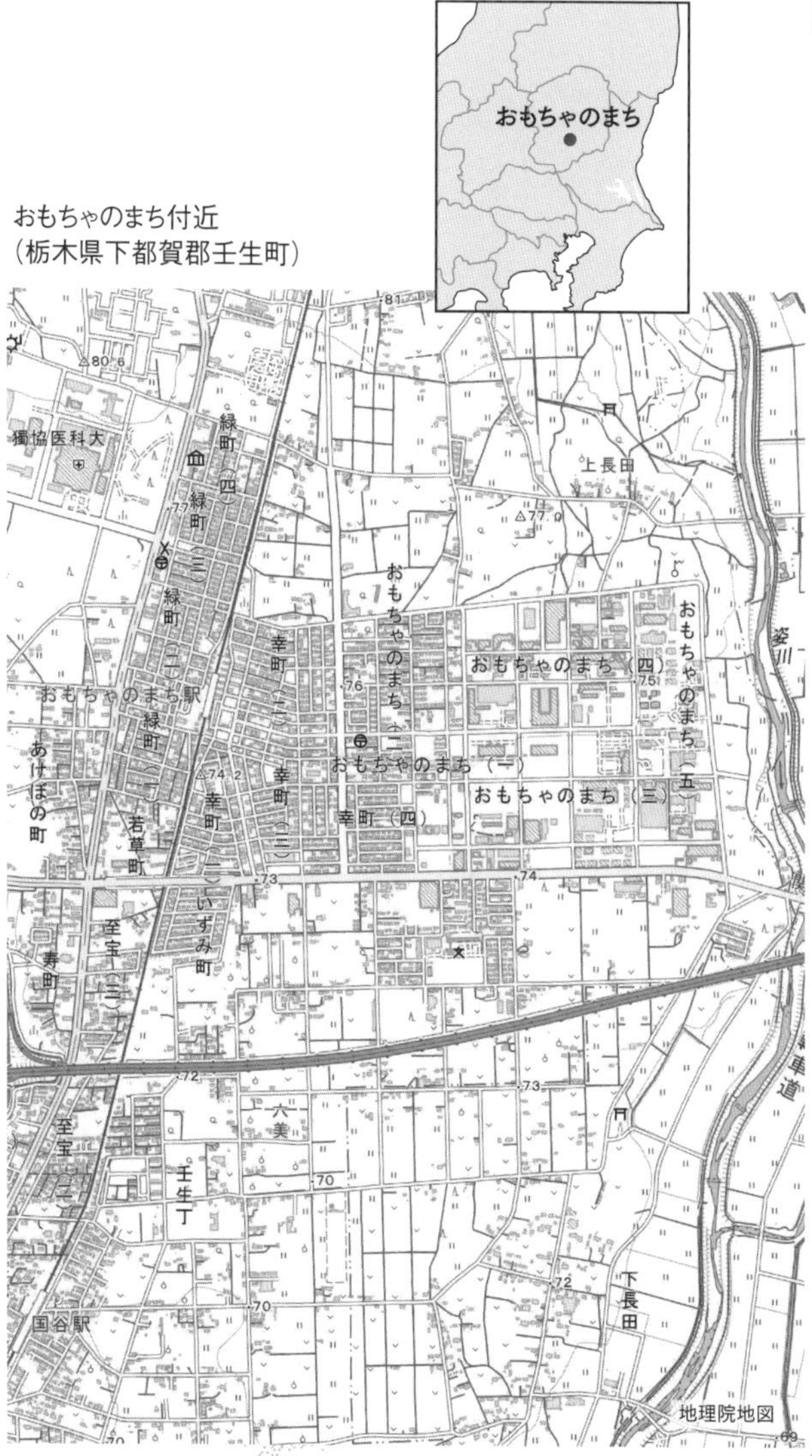

栃木県の南部を走る東武鉄道宇都宮線に「**おもちゃのまち**」というユニークな名の駅がある。駅だけではない。周辺には「おもちゃのまち郵便局」「おもちゃのまち交番」「おもちゃのまち幼稚園」「おもちゃのまちクリニック」など「おもちゃのまち」という名が付く施設がいくつもある。といっても、「おもちゃのまち」は、子ども向けの職業体験施設「キッザニア」のようなテーマパークではなく、郵便局も交番も病院もすべてホンモノだ。栃木県下都賀郡壬生町内の公式の地名であり、国土地理院地図や郵便番号簿にも「おもちゃのまち」とちゃんと記載されている。

この「おもちゃのまち」という地名は、この町におもちゃ関連企業が集まる工業団地がつくられたことに由来する。その経緯をたどると昭和30年代まで遡るが、当時は国内の金属製玩具の製造工場の9割が葛飾区や墨田区など東京の下町に集中していた。戦後の日本経済は順調に復興し、下町で作られるおもちゃは海外へもどんどん輸出され、どの工場も活気がみなぎっていた。しかし、その一方では古い設備の手狭な工場では生産が間に合わず、生産体制の強化が急務の状況となっていた。さらに、1959（昭和34）年、伊勢湾台風が東海地方を襲い、高波によって未曾有の大災害をもたらされると、工場が集中する海抜ゼロメートルの東京の下町一帯にも、同様の災害が起こりうるとの危機感が高まった。それらの対策として、関連会社で組織する東京玩具組合は、工場の集団移転を決定する。その候補地として浮上したのが栃木県壬生町であった。その頃、壬生町には、旧陸軍の広大な飛行場跡地が荒地のまま放置されており、その有効活用を模索していた地元にとっても、ここに多くの工場が建設されることは願ってもないことだった。

壬生町や用地を沿線に持つ東武鉄道の全面的協力を得て、1965（昭和40）年には第1期工事が完了し、11社が操業を開始する。同時に東武鉄道に新しい駅が開設され、この町から世界中の子どもたちに夢を届けたいという願いを込めて、駅は「おもちゃのまち」と命名された。町も本来は安塚という地名だったが、「おもちゃのまち」が通称となり、1977（昭和52）年には、一帯の住居表示が正式におもちゃのまち1～5丁目となった。

おもちゃ工業団地の広さは、東京ドーム11個分38・5万㎡、ここには、日本を代表するおもちゃメーカーであるタカラトミー、エポック、バンダイなど38社の企業が集結し、さらに、付近には「おもちゃ博物館」や「とちぎわんぱく公園」などが総合公園として整備され、あたかも町全体がおもちゃのテーマパークの様相である。

しかし、平成に入ると、おもちゃの分野でも中国や途上国の生産が増え始め、コスト面で不利な日本のメーカーは、生産拠点の海外への移転や、事業の縮小・撤退を余儀なくされるようになる。おもちゃ工業団地の出荷額は年々減少し、替わって団地内にはおもちゃ以外の製品や物流関連の企業が進出するようになった。近年は宇都宮のベッドタウンとして宅地化が進んでいる。今、このまちは、「おもちゃのまち」という夢のある名と、町に根づいたおもちゃ文化を大切にし、新たなまちおこしを図り、変貌しつつある。

21

NAZOTOKI

岩手・山梨・岐阜など北海道に県名と同じ地名が多いのはなぜ?

道内各地の県名・旧国名と同じ地名

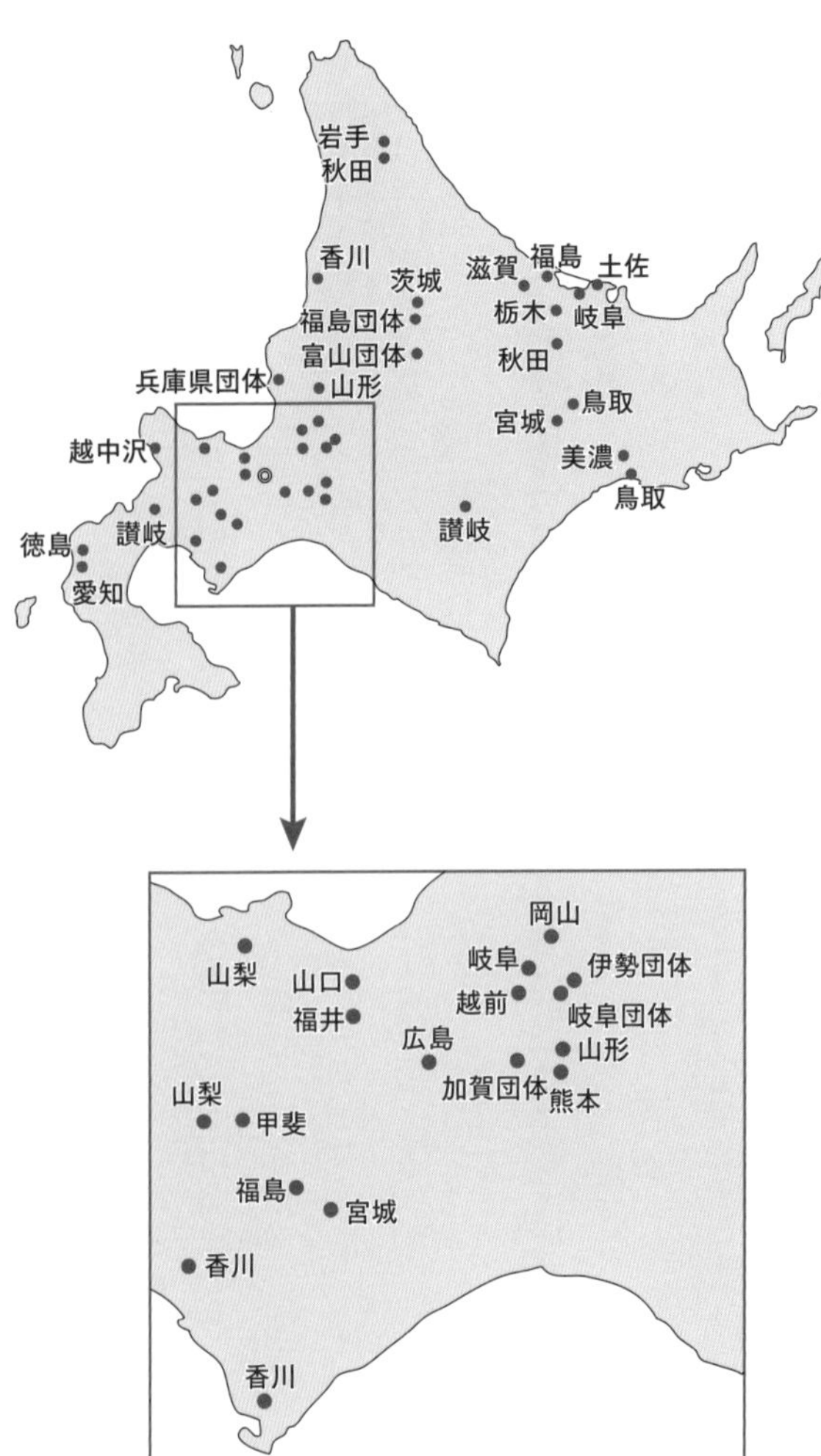

東大阪市は大阪市の東に、北名古屋市は名古屋市の北に、西東京市は東京23区の西に隣接し、東広島市は広島市から10㎞ほど東に位置している。ところが、**北広島市**は広島市からなんと北へ１２００㎞も離れた北海道にある。北広島市は、１９９６（平成８）年に市制を施行したが、それまでは札幌郡広島町、昭和以前には広島村であった。この北海道の広島という地名はたまたま広島市と同名だったわけではなく、実は本家の広島とは密接な繋がりがある。明治中頃、広島県から25戸１０３人の人々が石狩川流域の原野に入植し、苦難を極めて田畑を拓き、その開拓地に自分たちの出身地の名を取って広島村と名付けたのである。大正時代に鉄道が開通するが、その時に新駅の名が本家と同じ広島ではまずいということで、「**北広島**」駅となり、広島町が市に昇格した際に、駅名と同じ北広島を新市名に採用したのだ。

北海道には他にも岩手・山梨・岐阜・香川・鳥取などの県名や加賀・美濃・讃岐などの旧国名と同じ地名が数多く見られる。入植者たちが遠く離れた故郷への格別な想いを抱いて、出身地と同じ名を使ったのだろう。富山団体・加賀団体というように末尾に団体が付く地名もあるが、これは移住を奨励するため、当時は団体移住をするとその戸数分の土地がまとめて貸付けられる制度があり、団体名がそのまま地名として残ったと思われる。

余談だが、北広島は、クラーク博士が「少年よ、大志を抱け（Boys, be ambitious）」と語った札幌農学校があった地であり、また、広島カープの施設はないが、２０２３年、日本ハムファイターズの本拠地となる総合レジャー施設のボールパークが開業するという。

22

NAZOTOKI

さいたま市やつくばみらい市、全国にひらがなの市名が増えたのはなぜ？

青森県の下北半島に位置する**むつ**市は、１９５９（昭和34）年、大湊（おおみなと）町と田名部（たなべ）町が合併して「大湊田名部市」として発足した。しかし、漢字で5文字、これではちょっと長くて書きづらいということで、翌年に旧国名の陸奥（むつ）に因んで「むつ市」と改称し、日本初の〝ひらがな〟の市が誕生した。ひらがな表記にしたのは陸奥という漢字は本来は当て字であったことと、漢字表記の陸奥は東北地方の広範囲を指す地名になるためだと言われている。

2番目のひらがな市は福島県の**いわき**市である。平市・磐城（いわき）市・勿来（なこそ）市・常磐（じょうばん）市・内郷市など5市9町村の大合併により、１９６６（昭和41）年に誕生した。市の名はやはり旧国名の磐城に因んでいるが、漢字表記にしなかったのは、合併した5市の一つが磐城市であり、新市名を同名の「磐城市」とすることは、あたかも磐城市に併合されたようなイメージとなると他の市町村が反対したためだという。

3番目は１９７０（昭和45）年、宮崎県の**えびの**市である。「えびの」は、えび色の野原という意味だが、えび色は漢字で〝葡萄色〟と書き、ほとんど誰にも読めないことから、市制施行以前からこの地方の名称として「えびの」とひらがなで表記されていた。活火山霧島の火山ガスの影響でこの地方のススキがえび色に赤く染まることがこの地名の由来である。

4番目は茨城県**つくば**市である。漢字表記は筑波だが、「ちくば」と誤読される恐れがあることと、ひらがなの方がシンプルで現代的だという理由で、当時の県知事の発案だそうだ。

昭和以前にはひらがな市はこの4市だけだった。しかし、時代が平成を迎え、合併特例法の施行に基づくいわゆる「**平成の大合併**」が進行すると、ひらがな表記の新市が全国に一気に誕生する。各市がひらがな表記を採用した背景としては、あま（海部）市やいなべ（員弁）市のように漢字の読み方が難解なため、また、たつの（龍野）市やかすみがうら（霞ヶ浦）市のように既存の同名自治体が他の自治体を吸収合併したようなイメージを避けるためなど、前述の4市と同じようなケースも見られるが、愛知県の三好町が市に昇格したみよし市の場合は、すでに徳島県に三好市が存在したために、同名を回避するためにひらがな表記となった。**さいたま**市は、県名の埼玉の由来である埼玉郡は県北部の地名であり、県南東部に位置し、埼玉郡ではなかった新市が埼玉の名称を使うことに旧埼玉郡の自治体が難色を示し、ひらがな表記になった。つくば市に隣接する**つくばみらい**市は、ソフトで親しみやすく、未来志向で夢があるという理由で市名が決まったが、地名に関係のない「みらい（未来）」という抽象的な言葉を採用することに、当初は賛成する住民は少なく、市内に広大な土地を所有していた協議会の委員の中には、この名は土地の売れ行きが違うからと不動産業者のような発言をする者まで現われ、決定まではかなりの紆余曲折があったという。**みどり**市や**さくら**市は、日本人なら誰でも好印象を持つ「緑」や「桜」をいう言葉をソフトにひらがな表記にした地名だが、市民はこの市名にアイデンティティーが持てるのだろうか。

既存の地名に固執しない新しい感覚は必要だが、伝統や由緒のある地名も大切だ。大事なことは、子や孫たちの時代になっても、住民が誇りや愛着を感じる名であることだと思う。

第2章

全国各地の風景・光景にまつわる

全国各地にある小京都と小江戸、違いや規準はあるのだろうか？

23

NAZOTOKI

奥美濃の小京都“郡上八幡”（岐阜県）

北総の小江戸“佐原”（千葉県）

「みちのくの小京都〝角館〟」や「山陰の小京都〝津和野〟」など、古い町並みが残り、雰囲気が京都に似ていることから「**小京都**」と呼ばれるまちが全国に見られる。1985（昭和60）年には、それらが連携し、26の自治体が参加する「全国京都会議」が結成された。この会では、それぞれのまちのイメージアップと観光客誘致の相乗効果を図ることを目的に、共同宣伝パンフレットやポスターの制作、加盟市町の観光情報の発信、広域観光キャンペーンなどを展開し、小京都の規準として、次の3要件のうちのどれかに該当することを定めた。

○京都に似た自然景観、町並み、たたずまいがある
○京都と歴史的なつながりがある
○伝統的な産業、芸能がある

全国京都会議に加盟する自治体は、2020年には43市町に達している。ただ、小京都というブランド力を活かし、経済波及効果を拡大している自治体がある一方、金沢市、松本市、高山市など、全国京都会議を退会する自治体が増えている。そのような都市の多くは、公家の都であった京都に対し、城下町から発展し、武家屋敷が残り、武家文化が栄えた歴史があり、小京都と呼ばれることに違和感を否めなかったようだ。そのため、集客力のある自治体は、小京都ブランドに頼らず、今は独自のまちづくりを目指すようになっている。

近年は「**小江戸**」も人気を呼んでいる。小江戸とは、江戸の風情を感じさせる古い町並みが残るまちのことだ。1994（平成6）年、「関東の小京都」と呼ばれていた栃木市を取

材に訪れたＴＶレポーターが、白壁の土蔵群が残る日光街道の宿場町を「ここは小江戸のようですね」と表現し、それを聞いた地元の関係者が「小京都より小江戸と呼ぶほうがふさわしいかも」と、同じような特色を持つ川越（埼玉県）や佐原（千葉県）に呼びかけ「小江戸サミット」を開催し、以来、「小江戸」と呼ばれるまちが増えるようになった。

「妻入り」と「平入り」日本の住宅には二つの向きがある謎

24

NAZOTOKI

平入り住宅（京都市）

妻入り住宅（新潟県出雲崎町）　©出雲崎町

平入り住宅

妻入り住宅

家の絵を描かせると、東京の子どもは上の図の右のような家を、京都や大阪の子どもは左のような家を描くという。その真偽を確かめるため、東京の田園調布と大阪の帝塚山という東西を代表する住宅街を実際に調査してみた。日本の家屋は、右のように屋根の棟が三角形に見える面に出入口があるものを**妻入り**、左のように屋根の棟と平行な面に出入口があるものを**平入り**と言う。結果は、コンクリート住宅など伝統にこだわらない新しいタイプの建物は除外し、田園調布では妻入りが78%、平入りが22%、帝塚山では妻入りが30%、平入りが70%だった。

日本の住宅は、本来は妻入りが基本で、その起源は縄文時代の竪穴住居まで遡る。屋根が地表面まで葺き下がっている竪穴住居では、出入口は雨に濡れない三角面の妻側に設けられた。やがて屋根が柱で持ち上げられて平側（側面）に壁ができると、平側に出入口を設けることが可能になる。しかし、雨や雪の日が多い日本では、平側よりも、妻側から出入りするほうが都合よく、妻入り住居が発達する。岐阜県白川郷の合掌造りのように、豪雪地帯には妻入りの住居が多く、北海道など北日本には現在でも平入りの住居がほとんど見かけられないのもそのためだ。

新潟県のほぼ中央にある出雲崎は、日本海ぎりぎりまでせりだした海岸段丘と海岸線の間に、日本最大の妻入りの家並みが3.6kmにわたって続いている。江戸時代には、北前船の寄港地として、さらに北国街道の宿場町として栄えた出雲崎は、今でも街道に面した家屋のほとんどが妻入りである。新潟県の海岸地方には、出雲崎以外にも妻入りの家屋が多く見られる。この地方に妻入り住居が多いのは、豪雪地帯であることに加え、日本海から吹き寄せる冬の強風を受ける面を小さくするために、間口を狭くし、海岸線と直角の向きに縦長の家を建てたからである。

住宅が密集する都市部では、隣家との間隔が必要となる妻入りではなく、隣家と屋根を接続させ、境界に空間を設けなくてもよい平入り住宅が発達する。上方（京都や大阪）では、平入りの商家が家並みを形成し、**町屋**と呼ばれた。平入りの町屋が残る城下町や宿場町は全国各地に見られる。ただ、東京では、江戸時代の初期には町屋も見られたが、中期以降は大規模な敷地と屋敷間口を持った「大店（おおだな）」と呼ばれる商家が増えて町屋は少なくなる。火事が多かった江戸では、隣家との間隔をとって類焼を避けるために平入り住宅が上方ほど普及しなかったのだろう。

ただ、最近はSRC造やRC造と呼ばれる鉄筋コンクリート住宅や洋風の住宅が増え、機能性やデザインが優先されるようになり、平入りや妻入りという考え方を住宅に取り入れることが少なくなってきた。今の子どもたちはもう冒頭のような家の絵を描かないかもしれない。

「反(そ)り屋根」と「むくり屋根」日本建築に見られる二つの屋根の謎

25

NAZOTOKI

社寺に見られる「反り屋根」（京都府宇治市平等院鳳凰堂）

伝統的な商家に見られる「むくり屋根」（愛知県犬山市明治村）

お城や寺や神社の屋根はなぜ反っているのだろうか？　あまりにも見慣れており、今さらそのような疑問を持つ人は少ないかもしれない。しかし、見慣れていない右下の写真のように丸く盛り上がった屋根を初めて見た人は、「なんで盛り上がっているの？」ときっと不思議に思うだろう。それぞれ、「反り屋根」「むくり屋根」と呼ばれ、日本の伝統的な建築様式である。

反り屋根は、中国から伝わってきた様式で、今でも北京や西安などの古都に残る仏閣や宮殿に多く見られる。勾配の曲線は、紐の両端を持って緩めたときの自然なたるみを元に算出されていると言われ、格式や荘厳を表現している。ただ、日本の反り屋根は本家の中国ほど極端な反り方をしていない。台風や雨が多い日本では、反りすぎると雨水が瓦の裏を伝って下地の板を濡らし雨漏りの原因となるので、中国よりも緩やかな曲線の屋根が独自に発達した。また、反り屋根は、軒下が深くなるので雨水や日光から建物本体を守ることができるというメリットもある。

一方の**むくり屋根**は中国には見られない日本独自の様式だ。華麗な反り屋根に対し、丸みを帯びた優雅な景観は、低姿勢や丁寧さという品格を表現し、商家や公家の住居に採用された。また、雨が降った後、直線的な一般の屋根は棟（上の方）から乾きはじめ、先端の軒先部分は水が溜って乾くのが遅くなり、腐食の原因となる場合があるが、むくり屋根は軒先ほど勾配が急になっているので水切りが早く、屋根を腐食から守るという機能がある。

四万十川(しまんと)（高知県）に架かる橋に、欄干がないのはなぜ？

26

NAZOTOKI

佐田の沈下橋（高知県四万十市）

建設：1972年
全長：292m
幅員：4.2m

四国の南西部を流れる全長196kmの四万十川の流域には、「**沈下橋**」と呼ばれる橋が数多く存在する。沈下橋とは、増水時には水没してしまう橋のことで、当初より水没することを想定して、川面から数メートルの低い位置に架橋されている。水没したときに、木などが引っかかって水の流れを悪くすることを防ぐために、欄干を設置していないのが特徴で、地方により潜水橋、沈み橋、潜り橋、冠水橋などの呼び名がある。

現在、四万十川には支流も含め50近くの沈下橋が見られる。ただ、沈下橋は昔からあったわけではない。昭和30年頃まで四万十川の中上流には、幹線道路以外にほとんどが橋がなく、集落は谷川で分断され、往来には渡し舟を使ったり、丸木橋や簡易的な板の橋を使ったりするしかなかった。四万十川が流れる四国南西部は、年間の降水量が2000㎜を超える多雨地域であり、増水時には舟や橋は使えず、当時はそういう日が年に何度もあった。対岸の子どもたちは学校へ行けなくなり、村の人が丸木橋から足を滑らせて濁流に落下する痛ましい事故も起こった。橋が流失してしまうこともあり、永久橋（増水時にも流されない堅固な橋）の設置は流域に住む人々の永年の願いであった。

時代が高度経済成長期と呼ばれる昭和30年代に入り、農業用のトラクターやトラックなどが普及して農道の整備が必要となったこともあり、流域の村々は永久橋の設置へ向けてやっと本格的に取り組み始める。ただ、苦しい財政の中で高額となる建設費の確保が悩みだった。そんな時に発案されたのが沈下橋である。川面から高い位置に設置され、増水でも水没しない通常の抜水橋より、欄干がなく桁が低い沈下橋は建設費が3分の2ほどに抑えることができた。西土佐村の口屋内（くちやない）に最初の沈下橋が完成すると、流域には次々と沈下橋が架けられるようになり、今では川辺に暮らす人々の生活には欠かせなくなった。

四万十川の清流と人間が共生する沈下橋が醸し出す光景が、2009（平成21）年、文化庁により「**重要文化的景観**」として選定された。高知県でも**生活文化遺産**として後世に残す方針だが、その一方、沈下橋の老朽化とその対策という新たな問題も生じている。

幅1mの側溝のような川が、一級河川に指定されているのはなぜ？

27

NAZOTOKI

両満川（岐阜市）

日本国内を流れる河川は、「河川法」という法律に基づき、一級河川、二級河川、準用河川の3種類に分類される。違いは管轄する役所だ。**一級河川**は国（国土交通省）、**二級河川**は都道府県、**準用河川**は市町村が管理している。一級河川に指定されるのは、流域面積の広い河川や複数の都道府県にまたがる比較的規模の大きな河川で、石狩川、利根川、信濃川など各地を代表する河川が多い。一級河川に準ずる規模の河川、あるいは水利や防災などで重要な河川が二級河川に指定される。

さて、写真の両満川だが、それではなぜこの側溝のような細い川が一級河川なのだろうか。岐阜市内を流れる両満川は一級河川である長良川の支流である。本流が一級河川ならば、基本的にその支流もすべて一級河川に指定される。しかし、一級河川の支流とはいえ、側溝や水田の農業用水のような小川は、全国には無数にあり、それらすべてを国が管理するのは現実的ではない。そのため、そのような河川は、準用河川として市町村が管理したり、河川法の適用から外されたりする場合が多い。両満川も、側溝状態がずっと続く川だったなら、準用河川の対象にすらならなかっただろう。しかし、両満川は写真の場所から2km下流では川幅が5m、3km下流は10m、4km下流の長良川との合流地点あたりでは約30mに広がり、両岸の堤には桜並木が続き、川面には水鳥が遊ぶ遜色ない一級河川である。

なお、長良川は岐阜県北部の大日岳に源を発するが、下の写真は大日岳の麓の蛭ケ野(ひるがの)高原を流れる長良川の源流の小川である。この小川はここで流れが二つに分かれるが、左の流れは長良川となり、伊勢湾に注ぎ、右の流れは庄川となり、富山県から日本海に注ぐ。太平洋と日本海の**分水嶺**が目撃できる全国的にも珍しい場所である。

初日の出を日本でもっとも早く見ることができるのはどこ？

28

NAZOTOKI

日本一早い初日が拝める場所の一つだが、どこだろう？　© TOKYO-SKYTREE

年賀状にはよく「元旦」という言葉が使われるが、この「元旦」の〝旦〟という漢字は水平線から昇る太陽を表わし、日の出を意味している。元旦とは、元日の日の出つまり初日の出、元日の朝のことだ。古来より日本には、初日の出を拝み、敬虔な気持ちで新年を迎える習慣があり、元日には全国各地の初日の出スポットは大勢の人々で賑わう。では、その初日の出を日本でもっとも早く見ることのできる場所はどこだろうか。それは日本最東端の南鳥島だ。ただ、残念ながらこの島へは一般人は渡航することができない。

日の出の時刻については三つの法則がある。東へ経度で1度進むごとに約4分、南へ緯度で1度進むごとに約2分30秒、そして200m高くなるごとに約1分早くなる。この法則に基づくと、離島を除き、日本でもっとも早く初日が拝めるのは海抜3776mの**富士山頂**である。しかし、元旦に一般人が富士山に登るのはちょっと無理だ。そうなると、誰でも行くことができる場所で、もっとも早く初日を見ることができるのは、千葉県の**犬吠埼**(いぬぼうさき)である。東京都内でも海抜453mの**東京スカイツリー**の天望回廊(右ページ写真)からなら犬吠埼とほぼ同じ時刻に初日が拝める。その逆に、もっとも初日の出が遅くなるのは日本最西端の与那国島で、同じ日本国内でも南鳥島とは2時間以上、東京と比べても1時間以上の開きがある。日本という国は、多くの人が思っているよりずっと広い国なのだ。

国内各地の初日の出時刻(2020年)

○南鳥島(東京都)……5時27分　日本国内でもっとも早い
○小笠原母島(東京都)6時17分　渡航可能な地でもっとも早い
○富士山山頂………6時42分　本土でもっとも早い
○犬吠埼(千葉県)……6時46分　本土の平地でもっとも早い
○東京スカイツリー(東京都)6時46分　犬吠埼とほぼ同じ時刻
○納沙布岬(北海道)…6時49分　本土最東端だが犬吠埼より遅い
○与那国島(沖縄県)…7時31分　日本国内でもっとも遅い

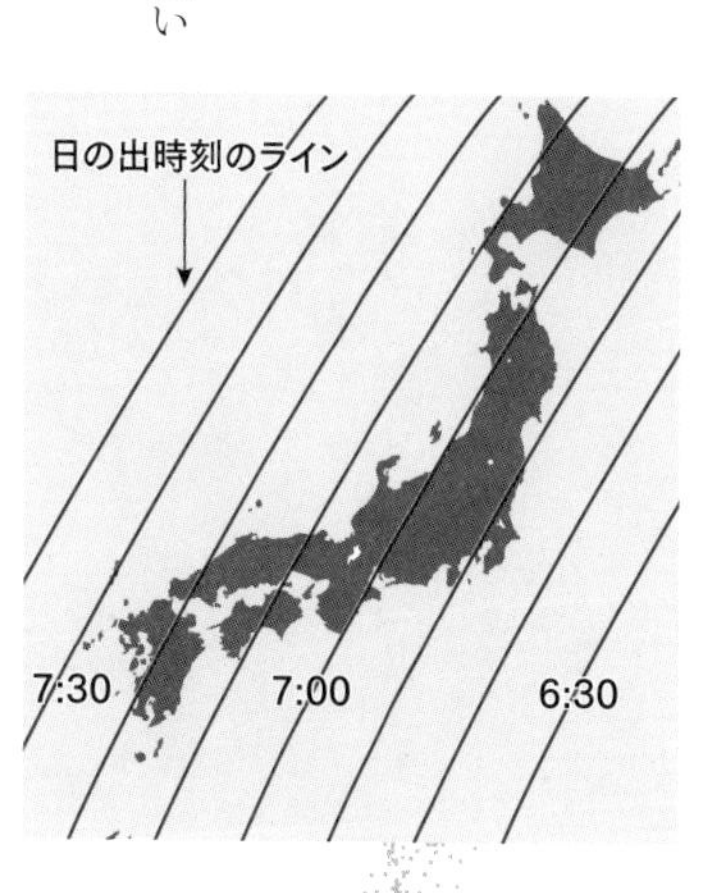

沖縄をスタートし、北上する桜前線、北海道でゴールするのは何日後？

29

NAZOTOKI

本部(もとぶ)半島のカンヒザクラ（沖縄県）　© hide0225/PIXTA

大雪山とチシマザクラ（北海道）

法的に定められているわけではないが、桜は国花として日本人がもっとも親しんでいる花である。南北に長く気候が多様な日本列島では、場所によって品種や開花時期にはもちろん違いはあるが、47都道府県どこへ行っても桜の花を見ることができる。

もっとも早く桜が咲くのは沖縄だ。沖縄では、正月気分がようやく抜ける1月中旬になると、早くも花見季節が到来する。沖縄北部の本部（もとぶ）半島の中央にそびえる八重岳（やえだけ）の麓から頂上にかけて約４００本のカンヒザクラのピンク色の花が満開となり、日本一早い桜祭りが開催される。**桜前線**は3月末から5月にかけて日本列島を北上し、日本の桜の代表格であるソメイヨシノが各地で満開を迎える。

最後に咲くのは、北海道大雪山系の高地にある旭岳温泉のチシマザクラで、6月下旬から7月上旬にかけて満開となり、「日本列島最後の花見」が開催される。チシマザクラは北海道北端の利尻島にも広く群生しており、日本最北の花見スポットになっている。桜前線は1月に沖縄をスタートし、半年後ようやく北海道でゴールを迎える。

パッと咲きサッと散るイメージの桜だが、実は半年もの間、日本のどこかには必ず咲いているわけだ。やはり日本は広い。

日本の秋の象徴と言えば紅葉だが、亜熱帯の沖縄の木々も紅葉するのだろうか？

30

NAZOTOKI

北畠氏館跡庭園の紅葉（三重県津市）

『百人一首』には、桜を詠んだ歌が6首あるが、紅葉の歌も6首ある。古来より**春の桜**に対して、**秋の紅葉**は日本の四季を象徴する光景として人々に親しまれている。紅葉というと誰もがまず思い浮かべるのはモミジだが、他にもイチョウ科やブナ科、ナナカマドなどのバラ科、メタセコイヤなどのスギ科など国内には紅葉する樹木は多く、その色づきも、赤、黄、橙など多様多彩だ。木々が紅葉するのは昼夜の寒暖差が大きくなり、最低気温が10℃以下になったときで、5℃以下になると紅葉が一気に進むと言われる。

そこで気になるのは真冬でも気温が10℃を下回ることがめったにない沖縄で、紅葉が見られるだろうかということだ。残念ながら、右ページの写真のような紅葉の光景を、沖縄では見ることはできない。モミジやイチョウは沖縄にもあるにはあるが、一年中青々しており、色づくことはないという。

しかし、一般にイメージする紅葉とはやや異なるが、実は沖縄にも秋になると赤く色づく樹木がある。リュウキュウハゼはその一つで、10～12月頃に下の写真のようにきれいな紅色に染まり、「ハゼモミジ」とも呼ばれている。つまり、沖縄では本土とは違った紅葉を楽しむことができるわけだ。

また、沖縄では全耕地の約50%をサトウキビ畑が占めるが、11月頃になるとススキの穂に似たサトウキビの花が咲き始める。広大なサトウキビ畑がススキ野原のように一面の銀世界に染まる光景は、沖縄の秋から冬の風物詩になっている。

リュウキュウハゼ

日本の海岸に松原が多く見られる謎

31

NAZOTOKI

世界遺産三保の松原（静岡市）

日本三景天橋立（京都府宮津市）

「白砂青松（はくしゃせいしょう）」という言葉がある。これは、白い砂浜と青々とした松林が続く日本特有の美しい海岸風景を形容した言葉であり、三保の松原や虹ノ松原など「〇〇の松原」と呼ばれる景勝地が全国各地に見られる。日本三景として知られる松島、天橋立、厳島も古くより和歌にも詠まれた白砂青松の名勝だ。なぜ、日本の海岸にはこれほど松林が多いのだろうか？

松は、古くより日本の海岸に自生している。しかし、現在、各地に広く見られる松林の多くは自然林ではなく、防砂、防風、防潮などのために江戸時代以降に植林された人工林であり、松といってもそのほとんどは**クロマツ**である。クロマツは、耐塩性に優れ、松葉は細いため、風に逆らわず、風の力を弱め、風に乗った砂を地面に落とす働きが大きい。また、砂浜のように保水性や栄養分に乏しいところでは、普通の樹木は育ちにくいが、クロマツは地下水位まで深く太い根を伸ばし、砂地でもよく育つ。潮風にさらされる砂浜海岸に植栽する樹木としてクロマツは最適なのだ。さらに、２０１１（平成23）年の東日本大震災の大津波では、破壊された松林が多かったが、一方では、松林が津波の勢いを軽減し、被害を軽くした地区もあった。今、クロマツの海岸林が持つ津波に対する減災機能が見直されている。

懸念されることもある。それは、先人たちは、集落や田畑を潮風や飛砂から守る松林を大事にし、樹木の下刈りや間伐、下地の除草や松葉かきなどを怠らなかったが、近年はそのような人手を要する作業をあまりしなくなったことだ。そのため、松林が藪化してしまったり、マツクイムシの被害が増えたりし、各地の白砂青松が危機に面している。対策が急がれる。

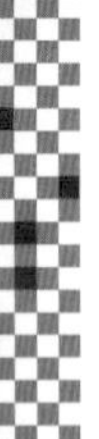

南西諸島（鹿児島県・沖縄県）には、平坦な島が多いのはなぜ？

32

NAZOTOKI

与論島（鹿児島県）　©ヨロン島観光協会

多良間島（沖縄県）　© Yamada udon

九州南端から台湾付近にかけて、トカラ列島、奄美諸島、沖縄諸島、先島諸島など200ほどの島々が連なり、南西諸島と呼ばれている。南西諸島には、奄美大島、沖縄本島、西表島など比較的大きな島には標高が数百mの山々が見られるが、その一方、写真のように、お皿を伏せたように平べったく、最高地点が100mにも満たない島がある。その一つ多良間島は、宮古島と石垣島の中間にあり、人口は約1100人、周囲約15㎞、面積は約20㎢で沖縄では11番目に大きな島だが、島内の最高地点は34mしかなく、山はまったくない。南西諸島は、標高の高い島と、多良間島のように平坦な標高の低い島に分類することができる。

標高の高い島と低い島は、成因に大きな違いがある。標高の高い島々は、かつて、アジア大陸と地続きだった大陸縁辺部が、地殻変動や海面上昇によって、大陸と切り離されて形成された。おもに火成岩からなり、奄美大島、沖縄本島、石垣島、西表島など南西諸島の中でも比較的大きな島々が多い。一方、標高の低い島々は、地殻変動によって海底の珊瑚礁が海面上へ隆起し、数十万年前頃に新しく誕生した**隆起珊瑚礁**である。石灰岩の地層からなり、標高が低く平坦で、山や川がほとんど見られない。奄美諸島では、喜界島、沖永良部島、与論島、沖縄では久高島、宮古島、伊良部島、多良間島、竹富島などの島々である。

なお、毒蛇のハブは、大陸と陸続きだった頃に分布を広げたと推定され、かつて陸続きだった標高の高い島には棲息するが、海で隔絶された隆起珊瑚礁の島には棲息しないそうだ。

大阪のタクシーはなぜ黒一色？

33

NAZOTOKI

JR 大阪駅前のタクシー待機場（大阪市）

JR 上野駅前のタクシー待機場（東京都台東区）

大阪の飲食街を歩くと、動くカニやぎょろ目オヤジのいかつい顔など派手で巨大な看板がやたら目に付く。広告業界には「イメージの東京」「ストレートの大阪」という言葉があるそうだが、中小企業が多い大阪では、宣伝や看板に多くの費用をかけることができず、とにかく店名や商品名を覚えてもらうため、目立つことが最優先なのだ。東京の大企業のようにイメージ重視などと悠長に構えてはおられないのである。

ところが、大阪のタクシーは地味だ。ほとんどが黒塗りで、白、赤、黄などカラフルなタクシーが多い東京とは対照的である。何だか逆に思えるが、これには大阪商人特有の合理的な考え方が背景にある。東京都内には、約4万5000台のタクシーが走っているが、タクシーとは別に約3500台のハイヤーが登録されている。完全予約制のハイヤーは、冠婚葬祭や高級ホテルの送迎用、企業のＶＩＰの接待用などに利用され、車体は高級感のある黒塗りが基本である。もちろん、大阪もハイヤーの需要は多い。しかし、タクシーは約1万9000台が登録されているが、ハイヤーの登録がほとんどない。大阪では、タクシーの屋根の表示灯や車体のラッピングが着脱式になっており、必要時にこれらを外せば、いつでもハイヤーに早変わりするのだ。タクシーが黒いのは、ハイヤーと兼用しているからである。

なお、東京のタクシーがカラフルなのは、タクシー会社が所属する営業組織ごとに車体を同一色にしているためだ。小田急や京王など電鉄系のタクシーは電車と同じ色になっている。タクシー内に忘れ物をしても、色を覚えていると発見しやすいという利点もあるらしい。

渥美半島（愛知県）で見られる幻想的な夜景、これはいったいナニ？

34

NAZOTOKI

渥美半島の電照菊の夜景（愛知県田原市） ©田原市

「**日本夜景遺産**」といっても一般の人にはまだあまり知られていない。観光庁が後援し、地域特有の歴史や文化的価値などの特色を持った美しく魅力的な夜景を観光資源として発掘し、紹介するプロジェクトである。「夜景観光の推進」をスローガンに掲げ、すでに全国各地の200を超える夜景が「日本夜景遺産」として認定されている。晩秋から冬にかけて、愛知県東南部の渥美半島で広く見られるこの幻想的な夜景も2009年に「ライトアップ夜景遺産」として認定を受けている。

この光景は「**電照菊**」を栽培しているビニールハウス群である。愛知県の花卉の出荷額は全国一だが、そのうち、菊は県東南部の豊橋と田原の2市で全国シェアの約30％を占め、国内最大の産地となっている。

菊は日照時間が短くなると花芽を作り、つぼみが膨らんで開花する短日植物である。渥美半島では、そのような菊の性質を利用し、シートなどで日射しを遮断して開花を早める遮光栽培と呼ばれる菊の促成栽培が、昭和初期にはすでに行なわれていたが、昭和20年代になると、「電照菊」と呼ばれる菊の抑制栽培が導入される。夜間に温室やハウス内を照明し、人工的に日照時間を長くすることで、遮光栽培とは逆に開花を遅らせるのがこの栽培方法の特徴である。菊は古くから日本人に親しまれ、季節の折々や冠婚葬祭には欠かせない花だが、電照菊の普及により正月から春の彼岸までもっとも需要の多い時期に出荷できるようになり、遮光栽培と組み合わせることによって、一年中、需要に応じて出荷の調整ができるようになった。

なお従来は、ハウス内の照明には白熱電球が使われていたが、最近は消費電力が少ないLED球への変換が進んでいる。さらに、近年、光の色の違いが菊の成長に与える効果について研究が進められており、LEDの赤色の光が開花を抑制し、青色の光が逆に開花を促進する効果があることが明らかになってきた。

近い将来、渥美半島では、季節で赤や青に色が変化する今までとはまた異なる幻想的な夜景が見られるようになるかも知れない。

厳冬の北海道大津海岸だけに見られる新絶景「ジュエリーアイス」ってナニ？

35

NAZOTOKI

北海道豊頃(とよころ)町の大津海岸に打ち上げられた「ジュエリーアイス」

©豊頃町観光協会

右の写真を見て、これが何だかわかる人はほとんどいないだろう。これは「**ジュエリーアイス**」と呼ばれる氷塊で、太平洋に臨む北海道十勝地方の豊頃町の大津海岸で、厳冬の1月中旬から2月下旬のごく短い期間だけに見られる自然現象である。波打ち際に打ち上げられた様々な形の氷が、太陽の光を受けると宝石のように美しく輝いて見えるところから「ジュエリーアイス」と呼ばれている。よく似たものとして、オホーツク海沿岸に押し寄せる流氷があるが、流氷は氷同士が重なりあって氷の層になっており、厚さが数十cmから数mにもなる大きく真っ白な氷塊だが、ジュエリーアイスは数cmから数十cmくらいと小さく、何よりもクリスタルのように透明度が高いのが特徴だ。

ジュエリーアイスは気候や地形、風や潮流など様々な自然条件が揃うことによって形成される。冬の十勝地方は、晴天率が高く、放射冷却現象が起こりやすいために冷え込みが厳しくなり、太平洋に注ぐ十勝川の河口は結氷することが多い。通常、氷は凍結する際に微細な気泡を含むために透明にならないが、十勝平野を流れる十勝川の川面は無風になりやすく、冷気は広範囲にゆっくり広がるため、無色透明の氷が形成される。この氷が河口の潮位の変動によって破壊され、一度は海へ流れ出るが、漂う間に波にもまれて角が取れて様々な形に変形し、北風や東風が吹くとそれらが大津海岸に漂着し、写真のような光景となる。

このような現象は、世界でも特異であり、ケンブリッジ大学のある海洋物理学者は「こんなタイプの氷が見られるのは世界でも大津海岸だけである」と語っている。

なぜ、奈良県には興福寺の五重塔より高い建物がない？

36

NAZOTOKI

この写真は東大寺の二月堂付近から眺めた奈良市街の光景である。中央は興福寺の五重塔、塔の高さは50・1m、奈良県内ではもっとも高い建造物である。つまり、興福寺五重塔より高い建物は奈良県内にはないのだ。東京や大阪などの大都市に限らず、近年は地方都市でも100mを超える高層ビルは珍しくない。しかし、奈良県内でもっとも高いビルは、ホテル日航奈良で10階建て46m、47都道府県でもっとも低い県内最高建造物である。

奈良県内に高い建造物がないのは、**景観条例**による規制のためだ。奈良県では、古都奈良の貴重な歴史的風致を守り育て、これを県民の資産として次世代に継承するため、景観条例を制定し、建造物・工作物の色やデザイン、土地利用などの守るべき基準を詳細に定めている。

観光客が集まる奈良町地区では、若草山や興福寺五重塔などの眺望を妨げないよう建物の高さは8〜15m以下に制限されている。また、コンビニ・銀行・ガソリンスタンドなど商業施設の外装や看板は、古都奈良の風情を損なわないよう形態や色彩のガイドラインが定められ、赤や黄など彩度の高い原色の使用が制限されている。住宅にも規制がある。屋根は日本瓦で色は黒〜灰色とすること、塀や柵も形態や色彩などが詳細に定められている。街頭の自販機にも、設置場所はもちろん、商標やロゴマークは最小限、色は茶・濃茶・ベージュなど、高さは1.5m以下などの規制がある。

石舞台古墳など飛鳥時代の多くの史跡や遺跡が残る明日香村では、住宅を新築する場合には、瓦葺き、板葺きなど和風を原則とし、3階以上は禁止、2階建てであっても、下屋や庇を設け、総2階にしないこと、バルコニーは設置しないように努め、設置する場合は主要道路や観光客が集まる展望地からは見えないようにすることなど厳しい規制がある。

景観は地域の生活や文化を写し出す鏡と言われている。2004（平成16）年に「**景観法**」が公布され、景観行政に積極的に取り組む自治体が増えてきた。しかし、規制ばかりが増え、住民生活に支障が生じるのは本末転倒だ。景観保護は、地域の実態を踏まえ、住民・事業者・行政が認識を共有し、連携することが、今後ますます必要不可欠になってくる。

千里浜海岸（石川県）の砂浜を、道路でもないのにバスが走っているのはなぜ？

37

NAZOTOKI

千里浜海岸（石川県羽咋市）　©羽咋市

千里浜は、能登半島（石川県）の根元部分の西側にあり、国定公園にも指定されている全長８㎞ほどの風光明媚な砂浜海岸である。この海岸は「**千里浜なぎさドライブウェイ**」と呼ばれ、実は、日本で唯一、波打ち際を自動車で走ることができる世界でも珍しい海岸なのだ。バイクや乗用車はもちろん、大型バスでも、砂の上をラクラク走行することができる。

普通の砂浜ならタイヤが砂地に沈んでしまうのだが、千里浜は一粒一粒の砂の粒子がきめ細かく一様で、それが海水を含むことにより固く引き締まり、車が走っても埋らないのである。他の海岸の砂の粒径は0.5～１㎜ほどだが、千里浜の砂は0.3㎜ほどしかなく、塵のように細かな砂ということで、かつて千里浜には「塵浜」の漢字が使われていた。この海岸の砂がきめ細かいのは、千里浜付近の河川から日本海に流れ出た砂泥が、千里浜の北にある岬によって生まれる沿岸流のために、海岸に運び戻され、さらに日本海から吹く季節風が、細粒の砂を千里浜に堆積させるからだそうだ。

現在はこの海岸に沿って「のと里山海道」と呼ばれる自動車専用道路が開通しているが、まだ道路整備が不十分だった昭和30年頃には、能登から金沢方面へ魚を運ぶトラックが千里浜を道路代わりに利用していたという。そんなある日、観光バスの運転手が回送するバスを試しに海岸を走らせたのをきっかけに、千里浜は車が走れる砂浜として一躍有名になり、今では年間100万台を超える車がドライブに訪れるようになった。

なお、ドライブウェイとは呼ばれていても、海岸であり公道ではないため、道路標識があるわけではなく、基本的には自動車はどこをどのように通行しても規制はない。しかし、多くのドライバーは、センターラインなどはなくても暗黙の了解で左側通行を守り、一般道と同じように50㎞くらいまでのスピードで走っている。ただ、夏の観光シーズンには、安全確保のため、臨時に走行部分にロープが張られ、駐車禁止や速度制限の標識が設置される。

このように全国的にも特異な千里浜だが、近年、砂浜の浸食が進み、海岸線が毎年約1mずつ後退しているという。ダムや堰のために川から海へ流れ込む土砂が減少していることが大きな理由だが、全国でも毎年160haにもおよぶ砂浜が消失していることも知ってほしい。

砺波(となみ)平野(富山県)では、農家が1軒1軒離れて点在しているのはなぜ?

38

NAZOTOKI

砺波平野の散村風景(富山県)　©砺波正倉(砺波市教育委員会)

富山県西部に広がる**砺波平野**では、写真のように農家が100mほどの間隔で点々と散在している。このような村落は**散村**や散居村と呼ばれる。ただ、日本の農村は、家々が密集した**集村**が一般的だ。その理由は、湧水地や微高地に自然発生的に住居が集中したこともあるが、集村のほうが用水の管理や農繁期の共同作業には効率がよいからである。砺波の散村は、集村が一般的な日本の農村地域では、ちょっと特異な景観である。

この地域に散村が発達したのは、砺波平野が、庄川が形成した**扇状地**であることが大きく関係している。日本各地には多くの扇状地が見られるが、砂や小石が堆積した扇状地は、水が浸み込んでしまうので一般に水田には適さないとされている。そのため、扇状地は昔ならば桑畑、現在では果樹園に利用されることが多いが、砺波平野には水田が広がっている。これは、冬の間に庄川上流の山岳地帯に積もった大量の雪が春になると解けて、砺波平野を流れる庄川の水量が地下に浸み込む水の量以上になり、水田に十分な水を供給することができるからだ。砺波平野には、この豊かな水を活用した用水路網が整備されている。ただ、扇状地の水田は表土の下がすぐに砂礫になっているので、水持ちが悪く「ザル田」と呼ばれており、朝、いっぱいに水を張っても夕方には空になってしまう。そのため、一日に何度も水門を開閉する必要があり、水管理のためには自分が耕作する水田が家の周りにあることが都合よいのだ。奈良時代の荘園関係の史料からも、この地域には三々五々と散在する小村のような屋敷の存在が確認されており、その後、扇状地の開拓が進むにつれて、自ら開墾した土地にそれぞれが家を建て、砺波平野全体に散村形態が広がったとみられる。

ただ近年、砺波の散村にも変化が起きている。高速道路が開通するなど、道路の整備が進むと、安くて広い土地を求めて大工場が進出するようになり、市街地に近い場所では住宅開発も進んでいる。日本の稲作農業が大きく変貌し続ける中で、砺波平野の散村景観を価値ある文化的景観としてどのように維持し、地域づくりにどのように位置づけるかが課題となっている。

関東平野のど真ん中に巨大なハートこれはいったいナニ？

39

NAZOTOKI

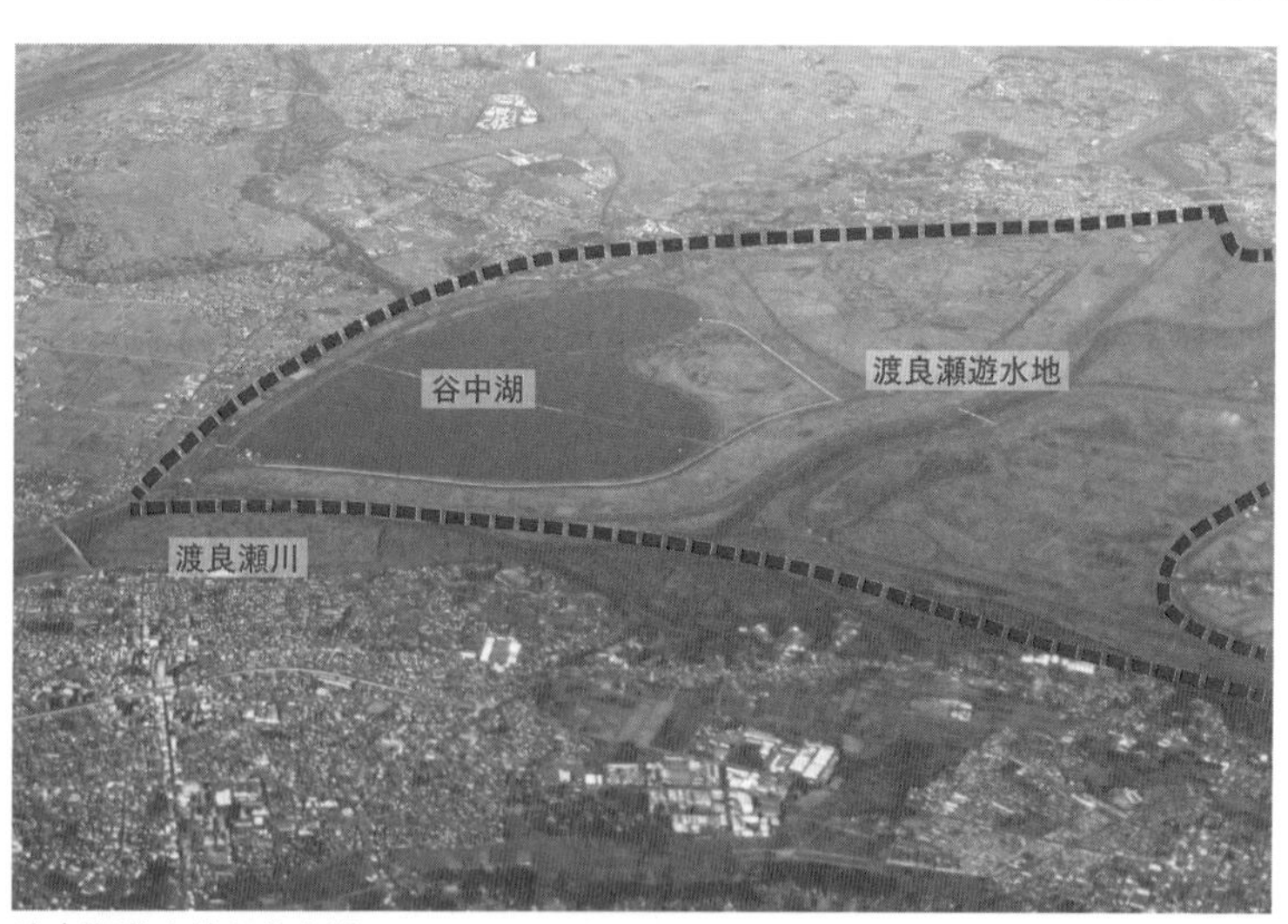

渡良瀬遊水地と谷中湖　　© 1207Blue/PIXTA

写真は、群馬・茨城・栃木・埼玉4県の県境に近い関東平野のほぼ中央、利根川支流の渡良瀬川下流部に広がる**渡良瀬遊水地**の一帯である。渡良瀬遊水地は、周囲30km、総面積は成田空港の約3.5倍にあたる33㎢、日本最大の遊水地だ。遊水地とは、豪雨などで河川が増水した時に、流水を一時的に氾濫させて、流域を洪水から守る緩衝地帯のことで、ちょうど次項の荒川の河川敷と同じような機能を持っている。

渡良瀬遊水地には、三つの調整池があり、湿地や沼地が広がるが、畑やゴルフ場、子ども広場などにも活用されている。第1調整池の南半分が、水道用水の安定供給のための貯水池となっており、これが写真の巨大なハートの正体で**谷中湖**と呼ばれている。当初は、円形の貯水池にする計画だったが、廃村となった谷中村の史跡を池に沈めないようにしたところ、偶然ハートの形になったそうだ。

なお、渡良瀬遊水地は、現在は水害を防ぐという治水が目的だが、建造当時には別の事情があった。それは、近代以降、日本で起こった最初の公害事件として知られる**足尾銅山鉱毒事件**である。明治中頃、足尾銅山（栃木県）は、当時の日本の銅産出量の4割を占める東洋一の銅山であった。しかし、銅山から出される排煙や鉱毒ガスが、周辺の山林を荒廃させ、鉱山から渡良瀬川に流れ込んだ排水の毒物が魚を大量死させ、流域の農作物に大きな被害を与えた。流域の住民は抗議運動に立ち上り、地元選出の衆議院議員の田中正造がこの問題を明治天皇に直訴しようとしたことから事件は社会問題化する。対応を迫られた政府は、鉱毒沈殿用の遊水池計画を打ち出し、渡良瀬川と利根川の合流地点に近い谷中村の約400戸の農家を強制的に立ち退かせて谷中村を廃村にし、明治末から大正にかけて渡良瀬川の流路を変更し、この地域を堤防で囲み遊水地を完成させた。渡良瀬遊水地にはそのような歴史的背景があったのだ。360年間採鉱し続けてきた足尾銅山は1973（昭和48）年に閉山した。

2012年、渡良瀬遊水地は「**ラムサール条約湿地**」に登録される。ラムサール条約は、水鳥の生息地として重要な湿地やそこに生息する動植物の保全を目的としている。本州最大のヨシの群生地が広がる渡良瀬遊水地は、絶滅危惧種のイヌワシやチュウヒなど約260種の鳥類、約1700種の昆虫類、約1000種の植物が見られる自然の宝庫である。

河口から62km上流、埼玉県内を流れる荒川の川幅が日本一広いのはなぜ？

40

NAZOTOKI

平常時の御成橋付近の荒川（2007.6）　©国土交通省

荒川は埼玉県西部の秩父山系を水源とし、東京湾に注ぐ延長１７３kmの一級河川である。河口付近の川幅は約８００ｍ、これは東京湾に流入する河川の中ではもっとも広い。ただ、河口の川幅だけなら利根川、木曽川、淀川など国内には荒川より広い川はいくつもある。しかし、荒川には実はそれらの川よりもっと川幅の広い場所がある。それは河口から62kmも遡った埼玉県鴻巣（こうのす）市西部の御成（おなり）橋付近で、両岸の間隔は２５３７ｍ、日本でもっとも川幅が広い場所である。通常、川幅がもっ

増水時の御成橋付近の荒川（2007.9.7）　©国土交通省

とも広いのは河口付近だが、河口から62kmも上流の川幅がなぜこのように広いのだろうか。

川幅の定義だが、国土交通省河川局では、河川敷を含む両岸の堤防間の距離を川幅と規定している。つまり、御成橋付近では、荒川は両岸の堤防が２５３７mも離れているわけだ。しかし、このあたりの実際の川面幅は、普段は30mほどで、堤防の間には広大な**河川敷**が広がり、田畑や公園に利用されている。

実はこの広い河川敷というのは日本の河川の特色である。ヨーロッパからの旅行者が新幹線を利用したとき、列車が富士川や天竜川の鉄橋にさしかかると車窓からの景色を見て、なぜ日本の川は水が真ん中だけにちょろちょろと流れているのか、両岸の石ころだらけのあの土地はいったい何なのかと不思議に思うそうだ。確かにライン川やドナウ川は、川幅いっぱいに満々と水をたたえており、河川敷などはない。しかし、日本の河川は集中豪雨や台風の際には流量が大きく増えるため、増水時の遊水機能としての役割を持つ河川敷があるのだ。荒川の御成橋付近の流量は、渇水時には毎秒約2.3㎥だが、増水時には1700㎥に達し、河況係数（P.46参照）は約750倍に及ぶ。ちなみにライン川の河況係数は18倍、ドナウはわずか4倍に過ぎない。

荒川の語源は荒ぶる川、その名の通りの暴れ川で過去に幾度となく氾濫を繰り返している。明治末の1910年には、台風による洪水により東京の下町8万5000戸が水没・流失し、死者399名という大災害が引き起こされた。これが契機となり、東京を荒川の洪水から守ろうと、埼玉県内で1920（大正9）年より37年の歳月をかけ、川幅を広げて河川敷を拡張する大規模な改修工事が実施された。河口から62㎞も上流の荒川の川幅が日本一になったのはこのような経緯によるものだ。

なお、荒川下流部でも1913（大正2）年から20年に及ぶ大工事によって、新たに全長22㎞・幅500ｍの放水路が開削され、それが現在の荒川になった。旧河道であったもとの荒川は現在の隅田川である。

東京の祭りは神輿ばかり、なぜ山車がない？

41

NAZOTOKI

三社祭の神輿（東京都台東区）

岸和田祭りのだんじり（大阪府岸和田市）

春の終わり、浅草神社の祭礼「三社祭」が始まると、浅草界隈は1年でもっとも活気づく。3基の宮神輿と氏子四十四カ町から繰り出す100基を超える町神輿が、「オイサ、オイサ」のかけ声とともに町内を威勢よく練り歩く光景は圧巻で、三社祭は東京に夏の訪れを告げる風物詩となっている。**神輿**は祭礼に際して、大勢の氏子たちが担ぐ神様の乗り物、いわば小型の移動神殿である。氏子たちが神輿を高く担ぎ上げ、激しく揺り動かすのは、災厄や汚れを浄め、豊作や大漁を祈願するためで、東京では、神田祭、山王祭、深川祭などでも神輿は祭りの主役となっている。

もちろん、神輿は東京の祭りだけで見られるものではない。しかし、全国には神輿ではなく、一般に**山車**と総称される四輪の台車を曳き回す祭りも多い。動く陽明門とも呼ばれる飛騨（岐阜）の高山祭の**祭屋台**、ユネスコ世界無形文化遺産に指定されている京都祇園祭の**山鉾**、秋の泉州路（大阪）を勇壮に駆け抜ける**だんじり**、これら以外にも、車山、曳山、笠鉾、山笠など地方によって様々な呼び方はあるが、山車が主役となっている祭りは全国各地に多く見られる。神輿と異なり、山車には人が乗って、祭り囃子を奏でたり、踊ったりするのが特徴だ。

東京の祭りでほとんど山車が見られないのはなぜだろうか。三社祭や神田祭は、明治以前には山車も登場し、むしろ神輿は脇役だったという。しかし、それらのほとんどが関東大震災や大戦の空襲で焼失してしまったのだ。その後、新たな山車を製作しようという声がなかったわけではない。しかし、そのためには多額の費用が必要となる。しかし、神輿だと製作費は山車の10分の1ほどで済み、さらに、アーケードや都電の架線など都内には山車の巡行の障害物が多かったことや、山車の保管場所の確保が困難だったこともあって、その後、山車は製作されなくなったという。戦後、神輿が東京の祭りの花形になったのはそのような歴史的な背景があったのである。

ちなみに、三社祭クラスの神輿ならその製作費は約700〜2000万円だが、山車の場合、岸和田（大阪府）ではだんじりを新たに製作するとその費用は1台が1億円以上かかるらしい。

また、京都では、市内に市電が走っていた頃、市電の架線が山鉾の妨げになるため、祇園祭の山鉾が巡行する日は、架線は一時的に撤去され、市電は運休していたという。岸和田では、だんじりが走行できるよう、駅前通のアーケードは日本一高くなっているそうだ。全国どこの祭りも、その伝統を守るため、その裏にある人々の様々なドラマを知ると、また祭りを楽しく見ることができる。

海抜マイナス170m、八戸市（青森県）にある日本一低い場所はどんなところ？

42

NAZOTOKI

八戸鉱山の露天掘り（青森県八戸市）　© K@zuTa/PIXTA

オランダは、国土の4分の1を海面下の干拓地が占めていることはよく知られているが、日本にも、海水面を下回るいわゆる「**ゼロメートル地帯**」は全国に見られる。東京では荒川両岸（江東区東側～江戸川区）に広がり、ここには約180万人もの人々が暮らしており、もっとも低い場所は江東区南砂7丁目付近で、海抜マイナス2.5mを示す三角点と水準点がある。面積では、愛知県西部の伊勢湾沿岸部が最大で286㎢、東京23区のほぼ半分に匹敵し、JR関西本線の弥富駅の海抜はマイナス0.9m、地上では日本一低いところにある駅として有名だ。

それでは、日本でもっとも低い場所はどこだろうか。青森県八戸市にある「**八戸キャニオン**」は、最深部が海抜マイナス170

m、「日本一空に遠い場所」と呼ばれている。ここに東京タワーを設置しても大展望台の位置はまだ海面下であり、地上でこのように低い場所は国内ではここだけだ。八戸キャニオンは通称で、正しくは八戸石灰鉱山と言い、石灰石の露天掘りを行なっている。すり鉢状に掘り進められた南北約2km、東西1.2kmの巨大な穴の最深部が日本一低い場所だ。地下にはまだ10億トンの石灰石が埋蔵されている。採掘は現在も続けられており、2050年までにはさらに50m掘り下げられるという。

地底から掘り出した石灰石は、タイヤの直径が2.7mという超大型のダンプトラックが穴の側面の道路を通って運び上げ、さらに地下トンネルに設置された総延長10kmに及ぶベルトコンベアによって八戸港まで送られる。残念ながら採石場には一般人は立ち入ることができないが、付近にはすり鉢状の採石場を一望できる展望台が設置されており、インスタグラム用写真の撮影ポイントとして人気が高まっている。

なお、石灰石を採掘している鉱山は国内に200以上あり、日本の石灰石の産出量は世界第6位（2016年）を誇り、国内自給率は100%を超える。多くの資源を海外に依存している日本にとって、石灰石は貴重な資源であり、「白いダイヤ」と呼ばれている。

天童（山形県）が「日本一の将棋の町」と呼ばれるようになったのはなぜ？

43

NAZOTOKI

天童市内はどこにも将棋…

©山形県

橋の欄干に将棋の駒

春の桜祭りの人間将棋

電柱に詰め将棋

マンホールに将棋の駒

東京から山形新幹線「つばさ」で約3時間、山形の次の停車駅が天童である。人口約6万人の小都市だが、天童は「**日本一の将棋のまち**」として知られ、街を歩けば、至る所に将棋のモニュメントや絵があり、市の公認キャラクター「こま八」は将棋の駒がモチーフだ。毎年、春の桜まつりには、武者姿の人間を将棋駒に見立て、巨大な将棋盤でプロ棋士が対局する「人間将棋」が開催され、5万人を超える将棋ファンで賑わう。もちろん、アマチュアの将棋大会やプロのタイトル戦も多く開催されている。

天童と将棋はどのような繋がりがあるのだろうか。その由来は幕末まで遡る。天保年間（1830年代中頃）、東北地方は洪水や冷害が続き、餓死者が100万人を超える大凶作（天保の大飢饉）に見舞われ、出羽村山地方（山形県東部）の天童織田藩も甚大な被害を受ける。200人余りの家臣をかかえる天童藩の財政は窮乏にあえぎ、下級武士は扶持（ふち）だけでは生活ができず、内職によって家計を補うようになる。そんな時に藩の用人職に就いた吉田大八は、藩士に将棋駒の製作を奨励する。江戸後期には、将棋は庶民の間に娯楽として定着しており、当時、天童周辺ではすでに付近の山から切り出した雑木を材料とする簡素な将棋駒作りが細々と行なわれていた。ただ、藩士がそのような手内職を営むのは、武士の面目に関わると藩内には反対もあった。しかし、大八は将棋は兵法戦術にも通じるものであり、決して武士の面目を傷つけるものではないと主張し、藩内で将棋駒作りの普及に努める。

明治に入り、天童藩が解体されて俸禄がなくなり、自活を迫られた旧藩士たちは、木地師や書き師などに分かれて分業体制を確立させ、本格的に将棋駒作りを始める。当時、将棋駒作りが盛んだったのは大阪だが、天童では、加工機具の開発やスタンプ式の押駒（おしごま）製法の導入を進め、ライバル産地より低価格での提供を可能にし、生産を拡大する。さらに、戦災よって大阪の将棋駒作りが壊滅状態になると、戦後、天童の将棋駒の需要はいよいよ増大し、昭和30年代には最盛期を迎える。

現在、天童では全国の約95％にあたる年間約55万組の将棋駒を生産している。しかし、その出荷額は、２０００年以降は1億円台で推移し、これはピーク時の約3分の1、市の全工業製造出荷額の0.1％に過ぎない現状だ。昨今の子どもたちは将棋で遊ばなくなり、将棋盤のある家庭も少なくなった。天童の将棋関連の産業の前途は多難である。

しかし、天童の日本一は将棋だけではない。天童はさくらんぼ、ぶどう、ももなどの栽培が盛んな「くだもの王国」でもあり、その中でも洋梨の**ラ・フランス**の生産量は全国一である。毎年、11月には「天童ラ・フランス・マラソン」が開催され、７０００もの人々が天童のまちを走り、エイドステーションではランナーに甘く熟したラ・フランスがふるまわれ、フィニッシュ後も食べ放題だという。今や天童は決して将棋だけのまちではない。

第3章

全国各地のモノにまつわる謎

44

NAZOTOKI

ひな飾り
関東と関西、ひな祭りの男雛と女雛を並べる位置が逆なのはなぜ？

京都　©安藤人形店

関東　©久月

おひな様を飾るときに「アレッ？　お内裏様（男雛）は左右どっちだったかな？」と、人形の並べ方で迷う人が結構多いようだ。全国的には向かって左に男雛、右に女雛を飾ることが多い。しかし、「**京雛**」と呼ばれる関西のお雛様は、右側に男雛を飾る。各地に残る伝統的な雛飾りを見ても、男雛は右側に飾るのが古くからのしきたりである。本来、雛飾りは向かって右に男雛、左に女雛を並べる風習が一般的だったのが、今は逆になったのである。

これには、左を上位、右を下位とする「**左上右下**（さじょううげ）」と呼ばれる日本古来の伝統礼法が関係している。古代より日本では、天皇の住まいである御所は南向きに造営され（P.59参照）、太陽が昇る東側（南面すると左側）が上座とされた。律令制で左大臣が右大臣よりも上位とされたり、劇場で舞台の左側（客席から見ると右側）を「上手」、右側を「下手」と呼んだりするのも左上位の考え方に基づいている。雛飾りにおいても人形自体から正面を見て左側（向かって右）の上

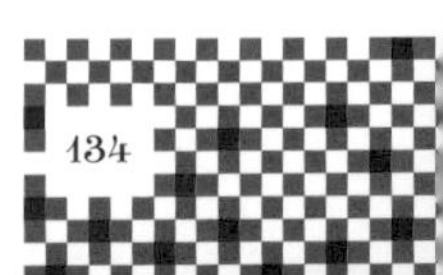

座に男雛、その隣に女雛を並べて飾るのが本来の伝統的な飾り方だったのである。

しかし、欧米では、英語で右を「正しい」という意味の「right」と言うように、日本とは逆に「**右上位**」が基本である。明治以降、日本は西洋文化を積極的に取り入れるようになったが、宮中の行事も西洋式の儀礼に倣うことが増え、大正天皇の即位の礼では、天皇は西洋式に右側に立たれ、その後、この並び方が皇室に定着した。そして、東京では皇室に敬意を表して、男雛を右（向かって左）、女雛を左（向かって右）に飾るようになり、それが次第に全国に広まった。つまり、日本古来の伝統的な飾り方をするのか、現代の皇室の儀礼を尊重した飾り方をするのかの違いであり、どちらの飾り方をしても何ら差し障りはないのだ。

関西と関東では、お雛様を飾る期間にも違いがある。立春（節分の翌日）を過ぎた頃から3月3日の桃の節句頃まで飾るのが今では一般的だが、関西には3月3日の直前から旧暦のひな祭りにあたる4月3日頃まで飾る習慣がある。また、ひな祭りが終われば早く片付けないと、婚期が遠のくと言われるが、これは迷信でそのような決まりがある訳ではない。湿気に弱い雛人形のためには、ひな祭り後の晴れてよく乾燥した日に片づけるのがよいそうだ。

「ひなあられ」にも違いがある。関東風のひなあられは、うるち米を爆発させ膨らませたポン菓子を砂糖で甘く味付けしたものだが、関西風のひなあられは、もち米を原料にした1cm角のあられを油で揚げ、醤油・えび・青のりなどで味付けしたものでカラフルだ。

45

NAZOTOKI

畳
同じ六畳間でも、地方や住宅によって部屋の広さが違うのはなぜ？

引越しなどで新居の購入を検討する際に、まず考慮するのは広さではなかろうか。その場合、敷地面積や建築面積は〝㎡〟や〝坪〟で表記されている。しかし、部屋の広さは和室であれ洋室であれ、〝畳（帖）〟という単位で表される。畳を基準にしているのだが、ただ、畳のサイズには全国一律の規定はなく、地域や住居により違いがある。そのため、畳一枚ではそれほどの違いはなくても、六畳、八畳と広くなるほどその差が顕著になり、同じ六畳間なのに引っ越したら、家具が収まりきらないという事態が起こりかねない。

もっとも広いのは「**京間**」の畳で、縦の長さが6尺3寸（191㎝）、横幅はその半分、京都を中心に西日本に多く見られる。畳は、平安時代に天皇や貴族の住まいで座具や寝具として使われた「置き畳み」が起源である。当時は板の間の一部に敷くだけであったので、畳の寸法を統一する必要はなかった。しかし、鎌倉時代以降、書院造りや茶の湯が普及すると床全面に畳を敷き詰めるようになり、そうすると畳のサイズと部屋の広さを合わせなければならなくなった。また、当時は畳が貴重な財産であり、転居しても旧居の畳を新居でそのまま使ったので、部屋よりも畳の寸法を優先し、畳に合せて部屋の柱の位置や間隔を決めていた。

しかし、江戸時代になると、人口が増え、急ピッチで町作りが進んだ江戸では、効率的に家を建てるため、まず建物の寸法を定めて柱を立て、それに合わせて後から畳を当てはめる「**江戸間**」が考案された。畳の寸法に合わせて家を建てるため「畳割り」と呼ばれる京間に対し、江戸間は柱の間隔に合わせて畳を作るので「柱割り」と呼ばれた。江戸間の畳の縦の長さは5尺8寸(176cm)、京間より柱の幅の分だけ小さい。

名古屋や岐阜では、京間と江戸間の中間サイズの長さ6尺(182cm)の「**中京間**」と呼ばれる畳が普及する。この寸法の畳は東北や北陸の一部、沖縄などでも見られる。

さらに、昭和30~40年代、日本が高度経済成長期を迎えると、都市近郊では鉄筋コンクリート造りの公団住宅の建設が盛んになるが、そこでは長さ170cmとかなり狭めの畳が使われ、「**団地間**」と呼ばれた。その後、団地間はアパートやマンションなど集合住宅に広まる。

しかし、このように畳のサイズが地方や住宅によって違いがあると、一番困るのは新居を購入しようとする消費者だ。そのため、不動産広告で部屋を畳数で表記する場合には1・62㎡を1畳として換算することがルールになっている。また、現在では、新規の住宅を建築する際は、全国的にほとんどは江戸間が採用されている。

なお、日本で生まれ、日本人の生活には馴染み深い畳だが、その需要はこの20年間で3分の1に激減している。襖や障子、そして畳が必要な和室よりも、建設費が安く抑えられるフローリングの洋間が中心の住宅を、住宅メーカーが建設するようになったことが大きな理由だが、日本人の生活の洋風化が進んでいることもその背景にあることは否めない。

46

NAZOTOKI

模造紙

B紙・大洋紙・大判紙・雁皮(がんぴ)・鳥の子用紙etc 模造紙の呼び名が各地方で違うのはなぜ？

私「押しピンできちんと留めておいてね」

生徒「オシピン？　なにそれ？」とキョトン。

筆者は大阪出身、大学卒業後初めて大阪を離れ、愛知県の中学校に勤務するようになったが、これは新任時の生徒との会話である。押しピンは関西の言葉であり、画鋲と言わなければ通じないことを初めて知った。いわゆるカルチャーショックである。

私「授業で使いたいのですが、模造紙はどこにありますか？」

先輩教師「モゾーシ？　なにそれ？」

また、関西人だけの言葉を使ってしまったのか、それでは何と言えばいいのだろう。慌てて辞書で調べるが、模造紙は「模造紙」であって、他の言い方などは載っていなかった。その時に、初めて愛知県の教師や生徒は模造紙を「**B紙**」と呼ぶことを知った。

ＳＮＳにこのような書き込みを見つけた。

「学校で壁新聞に使ったあの白い大きな紙のことを、小学校から高校まで、私はずっと『**大洋紙**(たいようし)』と呼んでいましたが、それが新潟だけの呼び名だと初めて知りました。でも、どうして新潟だけ？　パソコンに『もぞうし』と打つと『模造紙』に変換されるのに、どうし

て『たいようし』は変換されないの？」

「B紙」と呼ぶのは、愛知県と岐阜県だけ、「大洋紙」と呼ぶのは新潟県だけなのだ。B紙の由来は、模造紙にはつやのあるA模造紙と、つや消しのB模造紙があり、略して「B紙」とか、紙のサイズがB1判（728×1000㎜）に近いからだとか言われている。大洋紙は「大きな洋紙」の意味らしい。調べてみるとまだまだあった。山形県では「**大判紙**」、熊本県では「**広洋紙**」、鹿児島県では「**広幅洋紙**」と呼んでいる。これらは漢字の通り、「大洋紙」と同じような意味でそう呼ばれているのだろう。富山県では「**雁皮**（がんぴ）」、愛媛県や沖縄県では「**鳥の子用紙**」と呼ぶそうだ。「雁皮」とはジンチョウゲ科の植物で、古くから和紙の原料として使われており、これを原料とした和紙を「雁皮紙」と言う。雁皮紙の一種で鳥の卵に似た色の紙が「鳥の子紙」である。ただ、どちらも元来は和紙の名であり、模造紙とは別物だ。

そもそも模造紙とは、いったい何を模造したのだろうか。東京の紙の博物館によると、明治の初めに大蔵省抄紙局（しょうしきょく）が紙幣用の高品質の和紙を開発し、その紙が「局紙」と呼ばれ、パリ万博に出品されて高評価を得た。すると、オーストリアの製紙会社が、パルプを原料とし、局紙に似せた安価な紙を作り、これが「模造局紙」として日本へ輸出されるようになり、さらに、国内の製紙会社がこの紙を模造し、改良を加え、それが「**模造紙**」と呼ばれるようになった。その模造紙が、全国へ広まるうちに、何らかのきっかけでその地方固有の呼び名が生まれたようだ。

47

NAZOTOKI

絆創膏

バンドエイド、カットバン、リバテープ、サビオ、キズバン、絆創膏の呼び名が各地で違うのはなぜ？

家庭の救急箱の必須品であり、女性がハンドバッグに入れる定番アイテムの一つでもあるのが絆創膏である。しかし、この絆創膏、一般名称である「バンソウコウ」とは全国的にあまり呼ばれていない。関東や関西を中心にもっとも多くの人が使っている呼び名は「**バンドエイド**」だ。バンドエイドはアメリカ系の多国籍企業であるジョンソン・エンド・ジョンソンの商品名で、絆創膏の国内シェアは40％に達する。絆創膏を商品名の「バンドエイド」と呼ぶ人が多いのは、本来はニチバンのセロハンテープの商品名である「セロテープ」や、三洋電機のデジタルカメラの登録商標である「デジカメ」という呼称を、多くの人が一般名称のように使っているのと同じである。

絆創膏をそのまま普通に「バンソウコウ」と呼んでいる地域もあるが、東北や中国地方、九州西部では「**カットバン**」、一部地域を除く九州と奈良県では「**リバテープ**」、北海道、和歌山県、広島県では「**サビオ**」、富山県では「**キズバン**」と、地域によって様々な呼ばれ方がされている。

それらの呼称もやはり商品名だ。「カットバン」は佐賀県に本社がある祐徳薬品の商品で、もちろん地元でのシェアは最大だ。「リバテープ」は同じ九州の熊本県のリバテープ製薬が

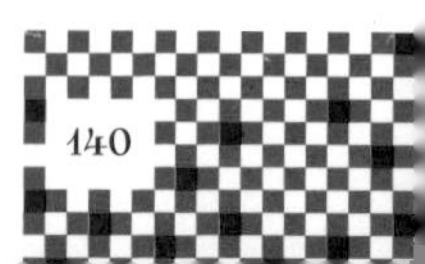

絆創膏の呼び方

絆創膏（ばんそうこう）
カットバン
バンドエイド
リバテープ
サビオ
キズバン

製造しており、熊本を中心とする九州で広く販売されている。奈良県でもリバテープと呼ばれているが、熊本のリバテープとは別会社の奈良県内の共立薬品の商品「キズリバテープ」を略した呼称だ。「**サビオ**」はもともとはスウェーデンのセデロース社のブランドで、日本ではニチバンやライオンがライセンス契約を結んで販売し、北海道でシェア1位になるなど、かつては全国的にもかなり売れ行きがあった。しかし、２００２年に製造中止となり、商品名だけが一般名称として残っている。「**キズバン**」と呼ぶのは全国で富山県だけだ。この商品の製造元のライトは富山県内の企業ではないが、富山県内のゴルフ場でキズバンを販売したことから富山県にその呼び名が広まった。

これらは一種の方言と言ってもよいだろう。ただ、それらが自分の住む地方だけの言葉で、実は他地方では誰も使っていない言葉だと知らず、共通語だと信じ切っている人が多い。前項の模造紙の場合もそうだが、地元では誰も気付かず、進学や就職で他地方で暮らすことになった人が、初めて方言であることに気付くという。日本は狭いようで広い。

48

NAZOTOKI

自転車

自転車の1世帯当たりの普及率、全国1位の埼玉県、最下位の長崎県、それぞれの事情とは？

埼玉県が「自転車王国」を名乗っていることはあまり知られていない。１世帯当たりの自転車購入費が全国第1位、県民は1.3人に1台の割合で自転車を保有しており、県のホームページには「自転車乗ってます率全国No.１」と紹介されている。県は利根川や江戸川沿いにディズニーランドまで続く全長１７０kmの日本一長いサイクリングロードを整備したり、川越や秩父などの観光地をレンタサイクルで楽しめるよう「駅からチャリマップ」というイラスト地図を発行したり、自転車文化の振興に力を入れている。

埼玉県で自転車が普及しているのはどのような理由があるのだろうか。全国の1世帯当たりの自転車購入費を見ると左ページの表からわかるように、上位を首都圏の都県が占めている。理由として、生活にあまり自動車を利用することが少ない首都圏の人たちは、他地方の人に比べて通勤・通学や買物に自転車を利用する機会が多いことがまず考えられる。

さらに、埼玉県は何よりも自転車の大敵である坂が少ないことが大きな要因だ。県の過半が関東平野に位置する埼玉県は、傾斜度が3度以下の土地つまり勾配の緩やかな地形が県の全面積の58％を占めており、平地率が日本一の県なのである。

また、県のホームページによると、埼玉県は江戸時代中頃に現在の本庄市に住んでいた庄田門弥が「陸船車」と呼ばれる世界最古の自転車を発明した「自転車発祥の地」だそうだ。

一方、日本でもっとも自転車に乗らないと言われているのは**長崎県**の人である。理由は埼玉県とは逆で、傾斜が3度以下の平地率はわずか4％に過ぎず、坂が多いことだ。県庁のある長崎市は、長崎湾を囲むように三方から山が迫るすり鉢状の地形をしており、海岸部から海抜200m付近の山の斜面まで市街地が広がり、斜面に張り付くように家々が立ち並んでいる。市街地の43％は傾斜度10度を超える斜面にあり、その割合は全国の主要都市の中では群を抜いている。しかも、その勾配は半端じゃなく、30度を超える坂道も珍しくない。そのため、市では高齢者や障害者のために坂道に小型モノレールを順次設置したり、世界遺産として知られるグラバー園へ続く坂道には斜行エレベーターを設置したりしている。

つまり、坂だらけの長崎では自転車は交通手段としての用をなさず、子どもたちが公園で乗ったりはするが、市民が日常生活で自転車を利用することはあまりない。その分、身近な交通手段として、軽自動車やバイクの普及率が高い。長崎では子どもからおじいちゃんやおばあちゃんを含む市民10人につき1台の割合でバイクが普及している（全国平均は36人に1台）。登録台数が多すぎるため、通常は4桁の原付ナンバーが長崎では5桁である。

1世帯当たり自転車購入費 〈資料：総務省家計調査2016〉	
①埼玉県	5880円
②東京都	5426円
③神奈川県	4850円
④香川県	4683円
⑤栃木県	4382円
（全国平均）	3419円
㊸岩手県	1995円
㊹宮崎県	1817円
㊺沖縄県	980円
㊻鹿児島県	856円
㊼長崎県	530円

49

NAZOTOKI

爪楊枝（つまようじ）世界シェア50%を誇った河内長野市（大阪府）の爪楊枝生産が100分の1に激減したのはなぜ？

大阪府東部に位置する**河内長野市**は、人口約10万人の大阪の衛星都市の一つである。「爪楊枝（つまようじ）のまち」として知られ、その生産量は昭和40年代には年間約７００億本、国内シェアは96%、世界シェアは50%を超えていた。

河内長野で爪楊枝づくりが発展したのは、材料となるクロモジの木が多く自生していたこと、河内長野はもともと簾（すだれ）の産地であり、細い木材を加工する技術が爪楊枝づくりと共通していたこと、大阪や京都など大消費地に近かったことなどが挙げられる。大正時代に、農家の副業として始まり、当時は１本ずつ手作業で作られていたが、昭和に入ると機械が導入されて工場で大量生産されるようになり、戦後の高度成長期にピークを迎えた。

しかし、過剰な伐採のために市内ではクロモジが調達できなくなり、爪楊枝の新たな原料として北海道産の白樺が広まると、工場を市外へ移転させるメーカーが増える。平成に入ると、人件費や材料費が安く、生産コストを抑えられることから、多くの企業が中国を生産拠点とするようになった。今では、国内で消費される爪楊枝のほとんどは中国産である。河内長野市内にかつて50軒近くあった業者は数社となり、今残る会社も販売など爪楊枝の流通には携わっていても、自社で製造しなくなったところがほとんどだ。それでも、安全性に優れ、

高品質の国内産の爪楊枝を求める消費者に応じるため、生産量はピーク時の100分の1の年間7億本まで減少したが、伐採、製造、販売を一貫して自社工場で行う純国産にこだわる会社が河内長野に顕在なのは頼もしい。

ここからは余談になるが、日本人の多くが爪楊枝の間違った使い方をしているのでそのことについて触れておきたい。日本人に馴染みがあるのは先端が円錐形に尖った**丸ようじ**と呼ばれる爪楊枝で、お尻がこけし型になったものが多い。食事の後、そんな丸ようじで歯の間をシーハーする日本人が多いが、実はこれが間違った使い方なのだ。丸ようじは歯の掃除用具ではなく、正しくはたこ焼きやわらび餅などの食べ物を刺して食べるための食事用具である。スーパーでも丸ようじは、歯間ようじなどが並ぶデンタルケア用品のコーナーではなく、キッチン用品のコーナーで売られている。爪楊枝には、丸ようじ以外に平たく先端が二等辺三角形の**三角ようじ**と呼ばれるものがあり、こちらが歯の掃除用の爪楊枝である。歯間の細い隙間に硬く先の尖った丸ようじをむりやり差し込むと歯や歯茎を痛めやすい。一方の三角ようじは、三角という形が歯間部にピッタリはまり、歯ぐきを刺激しながら汚れを除去するのに適しており、また、歯や歯茎を傷めないようにあえて折れやすく作られている。欧米では、食事用具はcocktailpick、デンタルケア用品はtoothpickと言葉でも明確に分けられている。日本のメーカーでもデンタルケア用の三角ようじの普及に力を入れているが、丸ようじを食事用にもデンタルケア用にも使う日本人の変な習慣はなくならないそうだ。

50

NAZOTOKI

電気
電気の周波数、東日本は50ヘルツ、西日本は60ヘルツ、東西で違うのはなぜ？ なぜ統一しないの？

乾電池から得られる電気が直流であるのに対し、電力会社から送られてくる電気が交流であることは理科の授業でも学び、多くの人はよく知っている。交流の電気は直流と違って、プラスとマイナスの電流の向きが交互に入れ替わる。その１秒間に入れ替わる回数が**周波数**であり、「**ヘルツ（Hz）**」という単位で表される。欧米で交流の電気が使われ始めた初期の頃は、各地で25～１３３ヘルツの多様な周波数が使われていたが、現在、世界で使われているのは**50ヘルツ**と**60ヘルツ**の２種類だけだ。日本の場合は、左ページの地図のように東西で50ヘルツと60ヘルツに二分されている。しかし、同じ国内で２種類の周波数が混在している国は、実は世界では日本だけである。

なぜ、日本は周波数が２種類なのか、それは日本で電気が実用化された明治の終わり頃まで遡る。当時、日本初の電力会社である東京電灯は、浅草に火力発電所を建設し、６基の発電機をドイツから購入して配電を始めたが、その発電機が50ヘルツであった。しかし、同じ頃、大阪電灯など関西の電力会社が導入したのはアメリカ製の60ヘルツの発電機で、これが現在まで続く東西で周波数の違いの原因となっている。ただ、戦前まで、九州は西部が60ヘルツで東部が50ヘルツ、北海道は札幌以西が60ヘルツというように、必ずしも現在のように

日本の電気の周波数

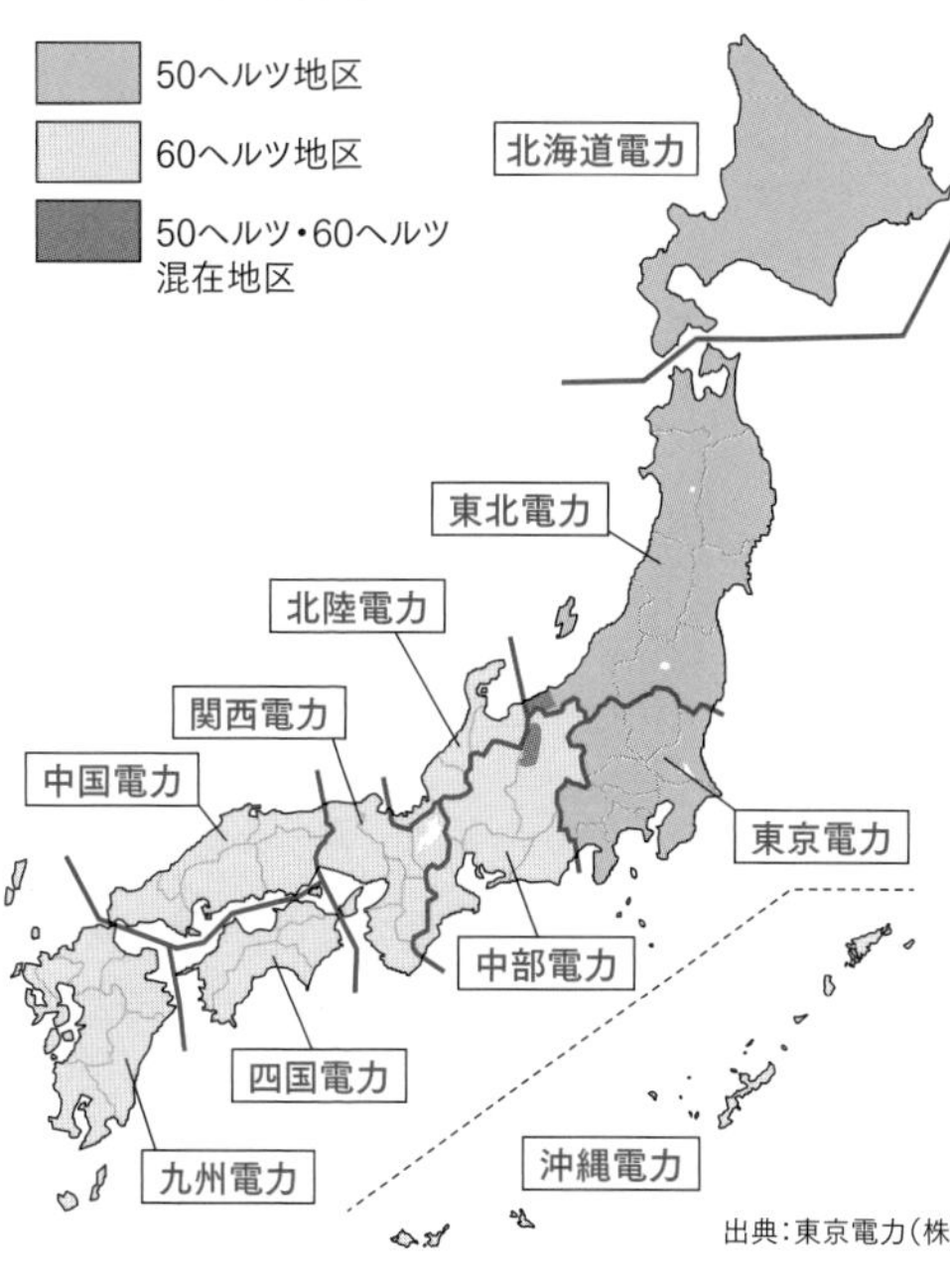

出典：東京電力（株）

はっきり東西に二分されていたわけではない。アメリカやイギリスなども当初は国内で様々な周波数が使われていた。ただ、欧米諸国はかなり早い時期に国内の周波数が統一されたが、日本では国内に電力会社が乱立していたために、周波数の統一が本格的に検討されるようになったのはようやく戦後のことだ。しかし、九州や北海道など一部の地域では統一されたものの、全国を一つの周波数に統一することは未だ実現していない。

周波数の統一には、どちらかあるいは両方の地域の発電機を交換し、生産設備を改修しなければならない。経費は巨額になり、さらに切り替えの一定期間は電力の安定供給ができなくなる。その間の経済ロスや混乱を考えると、もはや周波数の統一は現実には不可能だ。

現在はどちらの周波数でも使用が可能な周波数フリーの電気機器が多く販売されており、東西の周波数が違っても、生活に支障を感じている国民はまずいないだろう。ただ、災害時などに東西で電力融通の必要な場合があり、周波数変換施設の整備を進めておく必要はある。

51

NAZOTOKI

米

「コシヒカリ」「あきたこまち」「ゆめぴりか」、寒冷地に人気のブランド米が多いのはなぜ？

国内で販売されているお米の銘柄は300以上あるが、その中でも断トツ1位の人気米は言うまでもなく「コシヒカリ」だ。次いで「あきたこまち」や「ひとめぼれ」も根強い人気がある。近年は「ゆめぴりか」や「つや姫」などご当地米と呼ばれる新しいブランド米の人気も上昇している。

ところで、これらの米の共通点にお気づきだろうか。どれも主産地は寒冷地なのだ。亜熱帯の中国南部が原産地とされる米は、本来、高温を好み、寒冷な気候には適さない作物である。しかし、人気のブランド米の多くは、冬には雪が多く降る、北陸から東北へかけての、寒冷地と呼ばれる地域で作られている。もちろん温暖な西日本でも米作りは盛んで、「ヒノヒカリ」などのブランド米も

普段食べているお米は銘柄は？ 〈出典：リビングくらしHOW研究所 2017.7 調査〉	
①コシヒカリ（新潟など東日本各県）	59.9%
②あきたこまち（秋田）	35.1%
③ひとめぼれ（宮城・岩手）	25.4%
④ゆめぴりか（北海道）	14.2%
⑤ななつぼし（北海道）	13.9%
⑥つや姫（山形）	9.8%
⑦はえぬき（山形）	8.5%
⑧ヒノヒカリ（西日本各県）	8.0%
⑨ササニシキ（宮城）	6.4%
⑩ミルキークイーン（北陸～東北南部）	4.1%

※全国の女性1568名にアンケート実施 複数回答可

数多いのだが、右の調査でもわかるように、消費者に好まれている米は圧倒的に寒冷地産が多い。なぜだろうか。

おいしい米作りの条件は、昼夜の気温差と豊かな水にあると昔から言われている。日本海側は春から夏にかけて晴れる日が多く、日照時間は太平洋側よりも長い。また、太平洋高気圧から吹き寄せる水蒸気を含んだ夏の季節風は、奥羽山脈などの山地に遮られ、日本海側には乾いた風が吹き下ろす。いわゆるフェーン現象が起きるわけだが、そうすると日中は高温となり、空気が乾燥しているため夜間は気温が下がる。米は、高温となる日中に太陽の光をたっぷりと浴び、気温が下がる夜間に栄養をじっくりと蓄える。昼夜の**寒暖差**によって、粘りがあってもちもちした食感と甘みのあるおいしいお米ができるのだ。

水も米作りには重要だ。春になると山々から流れてくる豊かな雪解け水は、ミネラル分を多く含んでおり、さらに上流から肥えた土を下流の平野に運んで来るため、農薬や化学肥料に依存しなくても安全で安心の米を作ることができる。

また、寒冷地は、冬の積雪のため、野菜や果樹など他の作物の栽培には制約が大きく、農家は昔から**水田単作**に専念してきたこと、西日本より台風の被害が少ないこと、農家1戸当たりの経営耕地が西日本よりも広く、大規模経営が可能なこと、耐冷性の品種改良や栽培技術が向上したことなども米作りが発展した要因だ。もちろん、この地方の先人たちのおいしい米作りへのこだわりと熱意、そして努力がそれらの陰にあることは言うまでもない。

52

NAZOTOKI

みかん・りんご
「みかん」の北限、「りんご」の南限ってどこ？

バナナ・みかん・りんご、日本人がよく食べるフルーツのトップ3を長年にわたってこの三つが占めている。バナナはほぼ100％が輸入だが、みかんは和歌山県や愛媛県、りんごはダントツ1位の青森県、それぞれの収穫高上位の産地も長年にわたり不動である。**みかんは温暖な気候、りんごは冷涼な気候**の地方が栽培に適していることも我々はよく知っている。それでは、みかんの栽培が可能な北限はどのあたり、りんごの南限はどのあたりだろうか。

農林水産省の「作物統計」によると、みかんを収穫・出荷している県は全国で21府県、すべて太平洋や瀬戸内海に面した温暖な地方で、千葉県や神奈川県が北端である。りんごは14道県、ほとんどは中部地方以北だが、西日本で唯一広島県だけが収穫・出荷している。それでは、千葉県がみかんの北限、広島県がりんごの南限なのかというと必ずしもそうとはいえない。なぜなら実際には、栽培され、収穫されても地元にしか出回らなかったり、出荷をしない観光用の農園であったり、統計の数字には現れていない産地があるからだ。

栃木県那須烏山市では「北限のみかん産地」をアピールして、5軒の観光農園が早生（わせ）のみかんを栽培しており、11～12月には県外から多くの人がみかん狩りに訪れる。日本海の佐渡島（新潟県）では、古くから自家用にみかんが栽培されていたが、2007年から島内の青

りんごとみかんの県別出荷（2017年）
〈資料：農林水産省〉

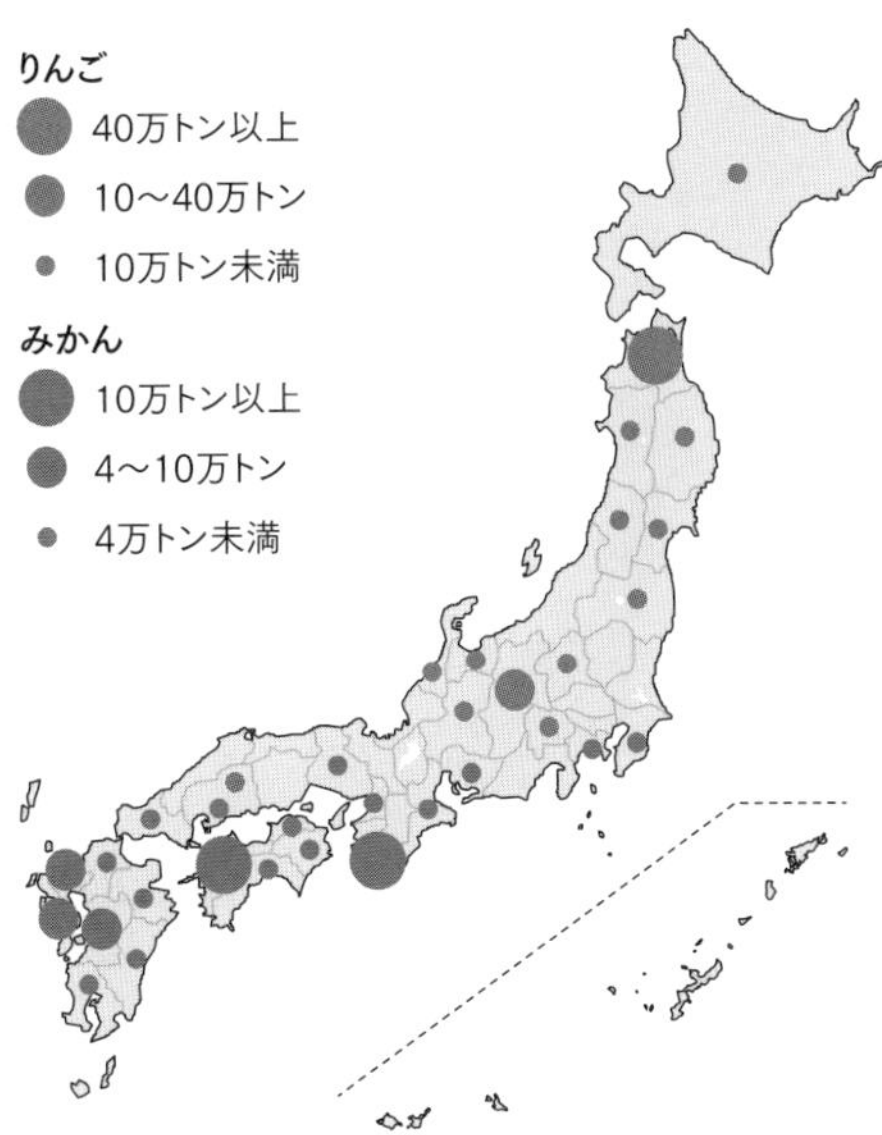

果市場に出荷するようになり、「北限のミカン」として売り出されている。

りんごの場合は、山口県北東部の阿東町（現山口市）は30種以上、年間1000トンを超えるりんごを出荷しており、おそらく経済的にはここがりんご栽培の南限かと思われる。りんご狩りだけの施設なら、宮崎県南部のえびの高原の麓にある観光果樹園が最南端だろう。3.5haの広大な敷地に数百本のりんごの木が植えられ、あまり市販されていない「モンロー」など約15種類のりんごが栽培されている。

近年、冷涼な気候のために、今までは柑橘類の栽培には向かないとされていた山形県の研究機関がみかんやスダチ、ユズなどの試作を進めて一定の成果を上げている。地元では、新たな特産物の誕生だと期待が高まっているが、これはみかんの栽培適地が北上しているともいえる。その一方、全国2位のりんご産地の長野県で、夏の気温が高くなって、りんごの色付きや味が悪くなる現象が現われている。それらの背景にあるのは、地球温暖化だ。数十年後、青森県はりんごが採れなくなってみかん産地に変貌しているかもしれない。

53

NAZOTOKI

餅
関東は切り餅、関西は丸餅、雑煮に入れる餅の形が違うのはなぜ？

新しい年を迎えると、多くの家庭では、元日の朝は必ず**雑煮**を食べる。雑煮の起源については諸説あるが、江戸時代には正月に雑煮を食べる風習が沖縄を除く全国各地に広まっていたようだ。人々は、海や山の幸、餅などを神様に供えて新年を迎え、元旦にそのお下がりを食べ、旧年の収穫や無事を感謝し、新年の豊作や一年の無病息災を願った。

ただ、その作り方や味は、地方や家庭ごとに千差万別だ。関西では里芋やダイコンを入れた白味噌仕立てだが、関西以外ではすまし仕立ての地方が多い。江戸の武家社会では、正月から味噌を付けるのは縁起が悪いと、味噌仕立ての雑煮を嫌ったというが俗説っぽい。山陰では小豆（あずき）汁の雑煮も見られる。具材も多様だ。新潟のイクラ、三重のハマグリ、広島のカキ、熊本のスルメなど地方ごとに地産の食材が使われる。

雑煮には欠かせない餅についても、関東と関西では違いがある。関東では四角い**切り餅**を焼いて使うのに対し、関西では**丸餅**を煮る。その中間の東海地方では、切り餅を使うが焼かずに煮る。

そもそもなぜ切り餅と丸餅があるのだろうか。本来、餅は丸形である。餅の丸い形は月や鏡と関係が深い。満月は望月（もちづき）とも呼ばれるが、真ん丸は欠けたところがなく円満に通じる。

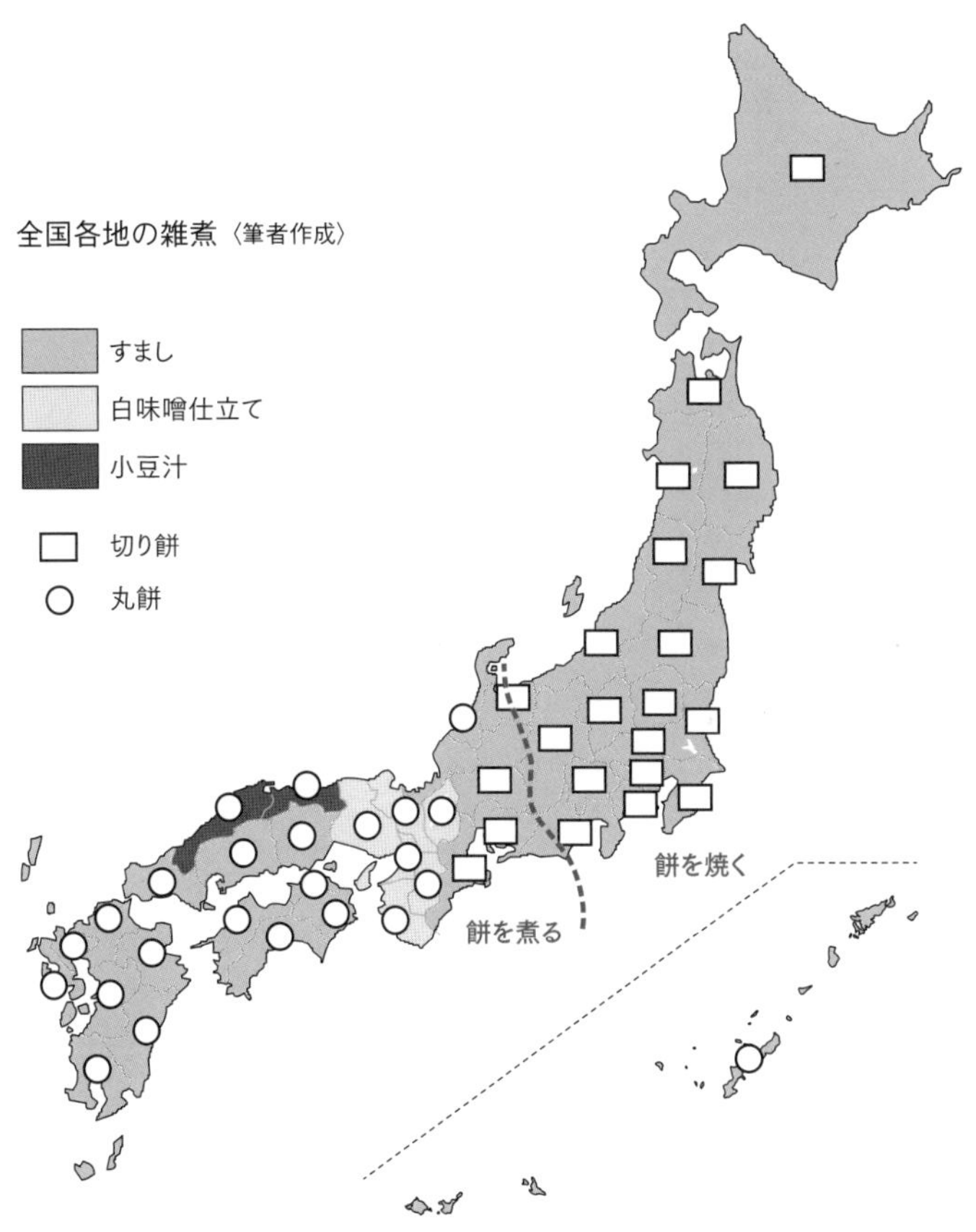

また、昔の鏡は円盤状の金属を磨いて作られていたが、降臨した神がそこに宿ると考えられていた。年神様を招魂するために、この丸い鏡を形取ったのが**鏡餅**である

関東の切り餅は、このような古式を省略したものだ。ついた餅をちぎって一つずつ丸める丸餅よりも、板状に伸ばしたのし餅を包丁で四角く一気に切るほうが手っ取り早い。関東の武家社会は古式より合理性を重視したのである。

54

NAZOTOKI

おにぎり
三角・俵形・球形・太鼓形、各地にいろんな形のおにぎりがあるのはなぜ？

6月18日は「おにぎりの日」である。この日は、1987（昭和62）年に石川県鹿西町（現・中能登町）にある弥生時代の竪穴住居跡から炭化した日本最古のおにぎりの化石が発見されたことに因んで制定された。驚くことに、この化石のおにぎりは現代のおにぎりと同じ、バッチリ三角形だそうだ。

しかし、おにぎりはどうして**三角形**なのだろうか。神が宿っている山の形を模して神に供えるためという説や、三角形だと置いたときに安定し、旅人が竹皮に包んで携行しやすかったとか、角から食べやすくするためだとか諸説あるが真相は不明だ。ただ、多くの人はおにぎりと言えば三角おにぎりを思い浮かべ、実際、日本人が食べるもっともポピュラーなおにぎりの形は三角形だ。とりわけ、コンビニの普及が三角おにぎりの消費を一気に押し上げた。

関西を中心に西日本では**俵形**のおにぎりが見られる。江戸時代に町人文化が栄えた京都や大阪では観劇の習慣が広まり、劇を見ながら幕の内弁当を食べることがトレンディーとされ、弁当箱に収まりやすく、箸でつまみやすい一口サイズの俵型おにぎりが主流となった。

東北や中部、関東や九州の一部地域では、**球形**のおにぎりが見られ、「爆弾おにぎり」とも呼ばれる。このおにぎりの利点は作りやすさだ。他の形のおにぎりを作ろうとするとちょっ

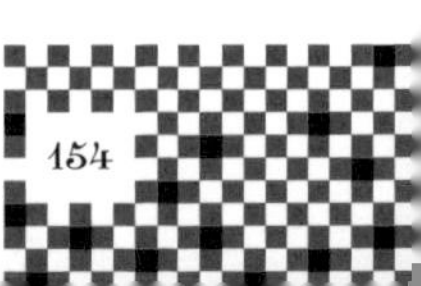

とした慣れとコツが必要だが、球形だと雪合戦の雪玉を丸める要領で子どもでも簡単に作ることができ、大きめの具も入れやすい。

太鼓形のおにぎりは東北地方で見られる。球形おにぎりを押しつぶしたような形で3㎝くらいの厚みだ。これは焼きおにぎりにするためだ。平べったい太鼓形のおにぎりだと網などの上に乗せて焼きやすく、また平らな面に醤油や味噌などを塗りやすい。

最後にもう一つ、多くの日本人が気にはなってもなかなか答えられない謎について触れておきたい。それは「**おにぎり**」と「**おむすび**」の違いだ。結論からいうとその意味に明確な違いはない。国語辞典には「おにぎり〈御握り〉＝握り飯の丁寧語、おむすび」「おむすび〈御結び〉＝握り飯の丁寧語、おにぎり」とあり、「握り飯」を調べると「握り固めた飯。おにぎり。おむすび」とあり、堂々巡りである。

コンビニの場合、ファミリーマートでは「おむすび」、ローソンでは「おにぎり」と呼んでおり、セブンイレブンでは、海苔がパリパリのタイプを「おにぎり」、それ以外を「おむすび」と呼んでいる。しかし、これは各社ごとのネーミングや単なる社内的な区分に過ぎず、特に何かの根拠があるわけではないらしい。「三角形がおむすび、その他がおにぎり」とか「関東がおにぎり、関西がおむすび」というような説もあるが、やはり根拠は曖昧で、俗説であろう。ちなみに、アンパンマンのアニメに登場するキャラクターは「おにぎりまん」ではなく「おむすびまん」である。

55

NAZOTOKI

味噌
名古屋の味噌が赤く、京都の味噌が白いのはなぜ？

「かけてみ〜そ　つけてみそ！」。これは名古屋の家庭では常備品とされているチューブ入り味噌調味料のテレビCMのフレーズで、名古屋の人ならば誰でも口ずさむことができる。味噌カツ、味噌煮込みうどん、味噌おでん、味噌田楽や、朝食の定番メニューである赤だし（赤味噌を使った味噌汁）など名古屋の食文化は赤味噌抜きには語れない。

味噌は古くからの日本の伝統食品で、材料別に**米味噌**、**麦味噌**、**豆味噌**、**調合味噌（合わせ味噌）**の4種類に分類することができる。そのうち、現在の国内消費量の約8割は米味噌が占めているが、名古屋とその周辺地域では、全国で唯一、原料に大豆を100%使った豆味噌が使われている。一般には**赤味噌**と呼ばれるが、色が赤いのは他の味噌に比べて熟成期間が長いからだ。発酵食品である味噌は、熟成期間が長いほど色が濃くなる性質があり、米味噌の熟成期間は長くても数ヵ月だが、この地方の豆味噌は2年以上熟成させるため、濃い赤褐色になる。発祥は名古屋ではなく、同じ愛知県でも東部の三河地方で、赤味噌は長期保存ができて携行にも便利なため、戦国時代に徳川家康が兵士の兵糧に利用したとか、厳しい暮らしをしていた三河地方の農民がおかず代わりに栄養の豊富な赤味噌を舐めていたとか起源には諸説ある。

一方、京都を中心とする関西では、P.152の雑煮の話でも触れたように、伝統的に料理には米を原料とする**白味噌**を使うことが多い。京都の白味噌の発祥は平安時代とされ、当時、米麹を使って作られた甘い白味噌仕立ての料理が貴族たちに好まれ、室町時代以降、茶の湯が盛んになると、白味噌は繊細な懐石料理には欠かせない味となり、関西一円に普及する。味噌の色が白いのは、赤味噌とは逆に熟成期間が短いためだ。京都の伝統的な白味噌の熟成期間は5日ほどから長くても1ヵ月だ。

三河発祥の赤味噌も京都の白味噌も、江戸の人たちには使われず、その後も全国各地には普及していない。赤味噌は、長い醸成期間を必要とするため、手間をかけずに大量生産が求められた大消費地の江戸には適さなかったのだ。京都の白味噌は、熟成期間は短いが逆に保存期間が短いことがやはり大量生産には不向きだった。また、江戸近郊の野菜や江戸前の新鮮な魚介を使うため、濃い味付けを好んだ江戸っ子には、あっさりした味わいが特徴の白味噌は物足りなかったのかもしれない。

なお、総務省の家計調査によると、名古屋市の1人当たりの味噌購入額は全国の都道府県庁所在地の中ではなんと35位、全国平均以下だ。意外な順位だが、これは冒頭のチューブ入り味噌調味料が統計上では味噌の加工食品とされ、味噌と分類されないからである。また、白味噌を「西京味噌」と呼ぶことがあるが、これは、関東の人が東京に対して京都を西の京つまり「西京」と呼んだことが由来であり、京都で西京味噌と呼ばれていたわけではない。

56

NAZOTOKI

納豆

「納豆の日」が関西発祥なのはなぜ？
納豆王国水戸が首位の座を福島に譲ったのはなぜ？

7月10日は**「納豆の日」**である。7（なっ）10（とう）という語呂合わせが由来でわかりやすい。実は、この納豆の日は今でこそ全国的な記念日だが、当初は意外にも納豆を食べる習慣があまりない関西地方だけの記念日だった。地元の納豆工業協同組合が関西における納豆の消費拡大のため、1981（昭和56）年に制定したのが始まりだという。

関西の人はなぜ納豆を食べなかったのだろうか。「関西人は納豆が嫌いだ」という話をよく耳にするが、これは事実ではない。筆者は大阪生まれの昭和世代だが、子どもの頃、納豆と言えば和菓子の甘納豆のことであり、糸引き納豆なるものが存在することすら知らなかった。納豆という食品が身近になく、味もあのネバネバも独特の臭いも当然知らない。つまり昔は、関西人にとって、納豆は嫌いなのではなく、未知の食品であり、食べる機会がなかったのだ。冷涼な東日本では、長い冬を越すために、納豆は貴重なタンパク源の保存食として広まったのに対し、冬でも魚をタンパク源としていた西日本では納豆は根付かなかったのである。

最近は関西でも納豆の消費量が増えている。総務省の家計調査によると、納豆の日が制定された頃の1985年、大阪市の1世帯当たりの納豆購入金額は年間で672円、全国1位

の**水戸市**の5513円の8分の1にも満たなかったが、2000年には2151円と3.2倍に、2018年は2777円と30年余りの間に4倍以上に増えている。納豆が身体に良いという健康志向や、臭いを抑え、関西人の味覚に合わせた商品の開発などが消費拡大の理由のようだ。とりわけ平成以降の世代にとって、納豆はもはや未知の食品はなく、子どもの頃から食べている人は珍しくはない。ただ、大阪市の納豆購入金額が急増しているとはいえ、本場である水戸市の半分にも満たない。もっとも、その水戸市の購入金額は、1997年の8314円をピークに、その後は漸減傾向が見られ、近年は**福島市**に首位の座を明け渡している。

ちなみに納豆が水戸の名産となったのは明治以降のことだ。江戸（東京）では納豆売りが街を呼び歩く光景が日常であり、納豆は庶民の味として親しまれていた。そのことを知ったある水戸人が、そんな食べ物なら水戸の名物になると考え、納豆作りに乗りだして水戸駅で販売を始め、やがて水戸の土産物として高い人気を得るようになったという。

福島が日本一になったのは、水戸との納豆の食べ方の違いにある。福島では、納豆は冬の保存食である。交通が整備されていない頃、積雪期になると食品の種類がどうしても少なくなり、人々は備蓄していた納豆を春巻きにしたり、チャーハンにしたり、様々な料理にアレンジして毎日のように食べるようになった。水戸市民はシンプルに納豆をそのまま食べる人が多い。納豆は、水戸市民にはこだわりの**郷土の味**、福島市民には多様な料理に使う**常備食料**、関西人には**健康食品**なのだ。ただ、筆者のように苦手な人はまだ多い。

57

NAZOTOKI

ミネラルウォーター

ミネラルウォーターの需要が伸びているのはなぜ？　ミネラルウォーターとはどのような水？　どのようなミネラルが含まれているのだろう？

蛇口をひねると常に安全な水が出てくる日本では、かつては、人々が飲むためだけに水を買うことなどなかった。しかし、今ではペットボトル（５００cc）換算で、国民は１人当たり年間約63本のミネラルウォーターを消費している（ミネラルウォーター協会統計２０１８）。水道水をそのまま飲用に使用する習慣がない欧米とはまだかなりの差はあるが、それでも国内のミネラルウォーターの消費量はこの30年間で40倍を超える驚異の伸び率だ。現在、国産だけで約８００種類、ヨーロッパなどからの輸入が約２００種類、国内のミネラルウォーター市場は今後も伸張を続けることが予想される。

日本とは地質が異なる欧米では硬水が多いが、口当たりがまろやかな軟水が多い日本は、全国どこでも水道設備が充実しており、飲み水に不自由することはない。そんな日本でミネラルウォーターが人々の生活の中に浸透してきたのは様々な時代背景がある。平成に入ると、阪神・淡路大震災や東日本大震災、さらに各地に記録的な豪雨災害が続いたことなどから、非常時の備蓄への意識が高まり、ミネラルウォーターが家庭における日常品になったこと、健康ブームや食の安全に対する意識が高まり、無農薬野菜の需要が高まったように、水も自然のものが求められるようになったこと、日本人の食生活が豊かになり、水道水のようなカ

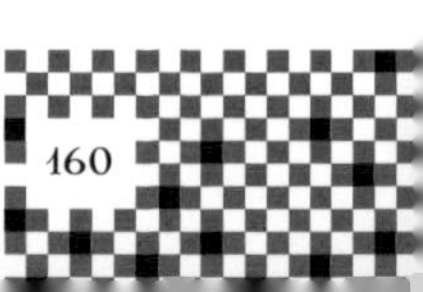

ルキ臭のしないおいしい水にこだわる人が増えたことなどがミネラルウォーターの需要を押し広げていると考えられる。

ところで、ミネラルウォーターとはどのような水のことを言うのだろうか。農林水産省は次の4種類の水をミネラルウォーター類として、ガイドラインを定めている。

①**ナチュラルウォーター**／特定水源の地下水を、ろ過・沈殿・殺菌処理だけを行ったもの。

②**ナチュラルミネラルウォーター**／①の中でもミネラル分が溶解しているもの。

③**ミネラルウォーター**／①や②を成分調整したり、他の水とブレンドしたりしたもの。

④**ボトルドウォーター**／水源や処理方法に規定はなく、自然水でなくてもよい。

どの場合も、大腸菌・水銀・銅など健康を害するものを含まないという厳格な衛生基準はクリアしなければならないが、ミネラル分については何の規定もない。ミネラルウォーターのつもりで飲んでいても、ミネラル分がまったく含まれていない場合もあるわけだ。

「□□の天然水」のように採水地の名を冠したミネラルウォーターが人気だが、**天然水**や**自然水**という表示が許されるのは①②だけである。日本はどこでも地下水が豊かとはいえ、ブランドのミネラルウォーターの採水地は限られており、優れた水質、安定した水量、汚染の恐れのない豊かな自然環境がその条件だ。南アルプスや富士山を採水地とする**山梨県**と**静岡県**は2県で国内生産の50％以上を占め、次いで生産額が多い**鳥取県**は大山（だいせん）が採水地だ。ミネラルウォーターを購入する際には、採水地や成分表示をしっかり確認しておこう。

58

NAZOTOKI

ポリタンク
東日本は赤、西日本は青、灯油を入れるポリタンクの色が東西で違うのはなぜ？

寒い冬を快適に過ごすために、エアコン、こたつ、ストーブなど暖房器具には多種多様のものがある。中でも石油ファンヒーターは多くの家庭で使われている。ただ、パワーは強いのだが、給油と灯油の保管が厄介なのが欠点だ。家庭ではその灯油の保管にポリタンクを使うのが一般的だが、そのポリタンクの色には、地方によって違いがあるのをご存知だろうか。関東甲信越や東北では圧倒的に**赤**が多いが、北海道と愛知県や富山県から西の地方では**青**が主流だ。四国や九州は青が多いが、赤も見られる。以前は**白**も使われていたが、飲料水用と紛らわしいので今は白を避けることが多い。

ＪＩＳ規格では灯油の劣化を防ぐため、高密度ポリエチレンなど紫外線に強い素材を使用することは決められているが、不透明であれば色に関する規定はない。そこで、関東を中心とする東日本では、灯油は危険物であることを認識させる赤のポリタンクが使われるようになった。ところが、関西では赤よりも青の顔料が安いということから、青のポリタンクが広まった。関西人特有の経済観念である。ちなみに、工事現場や被災地で防水用に、また花見のときにゴザ代わりに使われるブルーシートと呼ばれる合成樹脂製のシートが青いのも青の顔料が安いからだという説がある。

59

NAZOTOKI

スコップとシャベル
子どもたちが砂遊びで使うのはスコップそれともシャベル？

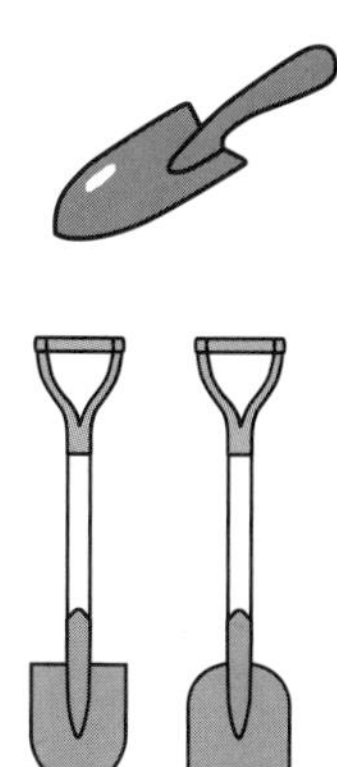

子どもの頃に公園で砂遊びをした思い出は誰しもあると思う。その時に穴を掘ったり、砂をすくったりした右上のような道具を何と呼んでいただろうか。**スコップ？** それとも**シャベル？** それでは土木作業などで使う右下の道具はどう呼ぶのだろう。関東から北の地方では、上の小さいほうをシャベル、下の大きいほうをスコップと呼ぶ人が多いが、中部から西の地方では、小さいほうがスコップで大きいほうがシャベル、東と西では呼び名が逆だ。

どちらも外来語で、シャベルは英語の〝shove〟スコップはオランダ語の〝schop〟が語源である。二つの言葉には微妙な違いがあり、〝schop〟は英語では〝スクープ（scoop）〟「すくい上げる」という意味を持つ。

JIS規格では、上部に足をかける部分があって先が尖り、穴を掘るためのものをシャベル、上部に丸みがあり先が四角く、土砂をすくうためのものをスコップと定義している。園芸などに使う小型のものは移植コテと呼ぶ。スコップとシャベルの違いは、用途の違いであって大小の違いでないわけだ。しかし、この定義は一般には普及しておらず、スコップやシャベルという言葉、なぜ東日本と西日本で逆に使われるようになったのかははっきりしない。

60

NAZOTOKI

ママさんダンプ

太平洋側の地方では使わない「ママさんダンプ」ってなに？

「**ママさんダンプ**」と聞いても、東京や大阪など温暖な太平洋側に暮らす人たちにはチンプンカンプン、何のことかサッパリ分からないだろう。しかし、北陸地方や北日本の雪の多い地方では、子どもでもよく知っており、また、使ったりもする。ママさんダンプは、**スノーダンプ**とも呼ばれ、大型の角型シャベルにパイプの持ち手が付いた右のような除雪器具のことである。使い方は、シャベル部分を前にして、雪をすくうように押し進めて雪を除いたり、シャベル部分に大量の雪を乗せて雪捨て場まで引っ張っていったりする。シャベル部分が軽量のプラスチック製で、持ち手のサイズも女性の体格に合わせてあり、雪をすくい上げるわけではないので、女性でも楽に除雪作業ができる。ママさんでもダンプカーのように大量の雪を運べるというので、ママさんダンプと呼ばれるようになったそうだ。

昔、冬になると男たちが出稼ぎで不在がちになることが多かった雪国では、雪かきは女性の重労働になっていた。しかし、今ではママさんダンプは一家に一台は必ずある必需品となり、女性の負担は軽減されるようになった。なお、最近は男性用の大きなサイズの「パパさんダンプ」も販売されている。

©セーブ・インダストリー

61

NAZOTOKI

灰傘

鹿児島県の人しか使わない「灰傘」ってなに？

「現在、桜島は噴火警戒レベル３（入山規制）です。噴火が発生した場合には、午前中は火口から南東方向、午後は南方向に降灰が予想されます」

毎朝、テレビの天気予報の中でこのように放送される**降灰予報**を聴くのが鹿児島の人々の日課だそうだ。桜島は年間約８３０回噴火し（２００９〜18年の平均）、対岸の鹿児島市街には１日に１㎡当たり４〜５ｇ程度の降灰は日常のことで、多い日には１日に５００ｇもの火山灰が降り、ドカ灰と呼ばれる。そんな日は、鹿児島の人の表現を借りると、眼はゴロゴロ、鼻はムズムズ、口はジャリジャリ、髪はバサバサ、部屋はザラザラで、火山灰には慣れているとはいえ、さすがに大変だそうだ。洗濯物を外に干すのをやめ、外出には火山灰の付着が目立つ黒や白の服を避け、コンタクトレンズを控えてメガネにしたり、マスクをしたりして自衛策を講じる。そんな中、注目されているのが「**灰傘**」である。胸のあたりまですっぽり覆う深張のビニール傘で、灰や雨からしっかり身体をガードする。ホームセンターやネットで販売している鹿児島限定の最強の降灰用グッズである。ただ、かなり目立つため、使うのを躊躇する人もいて、普及にはまだ時間がかかりそうだ。

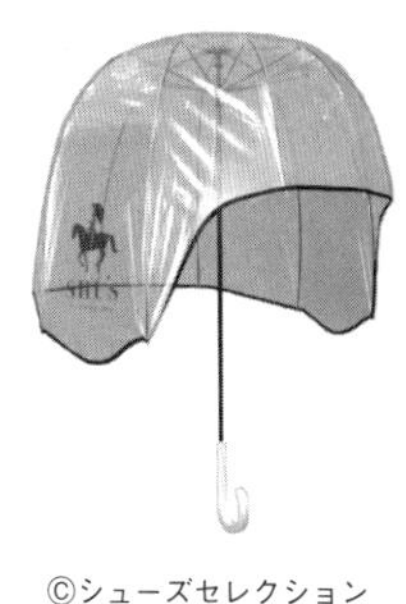

©シューズセレクション

62

NAZOTOKI

人形焼き
東京浅草の名物「人形焼き」人の形じゃないものが多いのになぜ人形焼き？

「**人形焼き**」は、江戸時代に歌舞伎や浄瑠璃の芝居小屋の近くで、芝居見物の人たちに売られていた焼き饅頭が起源とされる。明治に入ると、カステラ生地に餡（あん）を入れ、文楽人形や七福神などの形に焼いた今のような人形焼きが人気となる。しかし、現在、**浅草仲見世**で売られている人形焼は、どの店でも雷門や五重塔など浅草の名所をモチーフにしたものが目立ち、人の形をしたものは意外と少ない。

実は、人形焼きは人を模したのでそう呼ばれるのではなく、その由来は地名にある。現在も東京の中央区には人形町の地名が残っているが、江戸時代、このあたりには浄瑠璃の芝居小屋がいくつもあり、人形作りの職人や人形を操る人形遣いが多く住んでいたので、いつしか「**人形町**」と呼ばれるようになった。その人形町で作り売られるようになったので「人形焼き」なのだ。明治になり、浅草に芝居小屋が建ち並び、歓楽街として発展すると、人形焼きの職人が浅草に移り住み、やがて、人形焼きは浅草土産の定番になった。

「雷おこし」も人気の浅草土産だが、やはり浅草の名所であり地名でもある「雷門」が由来の名だ。全国には、他にも豊橋市の「ゆたかおこし」や虹ノ松原に因んだ佐賀県の「松原おこし」など地名が由来の名のおこしがある。

第4章

全国各地の人々にまつわる

63

NAZOTOKI

日本人

日本人の血液型の比率が地方により異なるのはなぜ？

日本人の血液型A・O・B・ABの比率はおよそ4対3対2対1だそうだ。しかし、その比率は全国一律ではなく地域差がある。A型は西へ行くほど比率が高く、逆にB型は西日本より東日本で比率が高い。日本人は、南アジア系のO型やB型の古モンゴロイドと北アジア系のA型の新モンゴロイドと呼ばれる人々の混血によって形成されたという説が有力だが、実は彼らが日本へやって来た経路にこそ、血液型比率に地域差が生じた原因がある。

日本列島に最初にやってきたのは**O型の古モンゴロイド**である。彼らはまだ日本列島が大陸と陸続きだった3～4万年前頃、黒潮に乗り、あるいは海岸沿いに日本の太平洋岸にたどり着いた。O型は現在でも太平洋岸の地方で比率が高い。そして、原因は明らかではないが、ユーラシア大陸を北上した別の古モンゴロイドの血液型が突然変異によってB型になるという現象が生じ、約1万4000年前、その**B型の古モンゴロイド**が、北から樺太を経由して日本列島にやってきた。彼らがいわば原日本人と言うべき人たちで、やがて縄文文化を創成し、**縄文人**となったと言われている。

6000年前頃になると、古モンゴロイドとは異なる身体的特徴を持った**A型の新モンゴロイド**が中国北部から朝鮮半島を経て北九州に上陸する。ただ、縄文人の生活圏は東日本が

A・B・O血液型の頻度分布
〈『血液型の話』（岩波新書）資料より作成〉

A …… A型分布率38%以上
B …… B型分布率23%以上
O …… O型分布率31%以上

中心であり、このときはまだ先住の縄文人と移住してきた人々との間に接触や摩擦は少なかったと思われる。しかし、その後もA型の新モンゴロイドは、次々と渡来し、O型・B型の縄文人を次第に北へ追いやり、混血を進め、居住範囲を広げ、弥生文化を創成する。**弥生人**である。A型は西日本では圧倒的に分布率が高いが、東日本にも広く分布しているのはそのためであろう。なお、日本人のルーツついてはまだ研究段階で不明の部分も多く、他にも様々な説がある。

　ところで、日本人にはA型の人は几帳面だとか、O型は大雑把でいい加減だとか、血液型で性格を判断したり、血液型占いや血液型相性診断に一喜一憂したりする人が多い。それらには科学的な根拠はまったくなく、そんなことを気にするのは、そもそも世界中で日本人だけだ。海外からは、日本人の奇妙な風習と不思議に思われているという。学校や職場などで、血液型によって性格を決めつけたり、能力や仕事ぶりを判断したりするのは「ブラッドタイプハラスメント」になるので、気をつけよう。

64

NAZOTOKI

東日本VS西日本
東日本ではもっとも多い名字の鈴木さん、西日本ではほとんど見かけないのはなぜ？

日本人の名字の種類は30万を超える。第1位は**佐藤**姓だ。全国に分布し、東北や北海道に圧倒的に多いが、関東以西でも多く見られる。佐藤姓のルーツについては諸説あるが、伊藤や加藤など他の〝藤〟が付く名字と同様、藤原氏を出自としている。第2位が**鈴木**姓。東海地方から関東地方に広く分布し、都道府県別に見ると愛知、静岡、東京など8都県で第1位となっている。さらに高橋、田中、渡辺、伊藤、山本・中村・小林・加藤までがトップ10だ。これらの名字の人は、読者の方々の職場や学校、ご近所にもおられると思う。もちろん、筆者も周囲にそのような名字の人は何人も心当たりがある。ただ、筆者は大阪出身だが、幼稚園から高校までクラスメートに田中君（さん）、佐藤君（さん）、高橋君（さん）は何人もいたが、鈴木君（さん）は一人もいなかった。もちろん近所にもいなかった。

佐藤・田中・高橋・渡辺などの名字は、多少の差はあるものの全国どこでも見られるのに対し、鈴木姓は東西の分布に大きな差があり、西日本ではあまり見られない。近畿以西のほとんどの県では、ランキングは30～400位とかなり下位である。全国におよそ180万人いると言われる鈴木さんだが、そのうち近畿以西に住んでいるのは10万人ほどに過ぎない。その理由は、佐藤、田中、高橋などランキング上位の名字は、ルーツが一つではなく、様々

な系統があるが、鈴木姓のルーツは一つしかないからだ。鈴木姓は、世界遺産で知られる和歌山県の熊野大社より広まった熊野信仰にルーツがある。神に豊作を祈る儀式の際、熊野大社では稲穂を積み重ねた上に「ススキ」と呼ばれる神聖な棒を立てた。この「ススキ」に因んで神官が「鈴木」姓を称するようになり、さらに全国各地で布教活動のために赴いた山伏や信者たちも鈴木姓を名乗ったり、与えられたりするようになった。ただ、熊野信仰は西日本にはあまり広まらず、全国に約3000あるという熊野神社は東日本に多く、西日本には少ない。この熊野神社と鈴木姓の分布がちょうど符合している。

西日本でもっとも多いのは**田中**姓だ。「田中」は、田んぼがあるところの中心を意味し、各地の農村の有力者が田中姓を名乗った。西日本では、田中以外にも、吉田、山田、前田、岡田、藤田、池田、上田、など〝田〟の字の付く名字が多い。これは西日本が東日本より稲作が盛んだったことを示している。

名字ランキング

	関東	関西
1	鈴木	田中
2	佐藤	山本
3	高橋	中村
4	小林	井上
5	渡辺	吉田
6	田中	松本
7	中村	山田
8	伊藤	小林
9	斉藤	山口
10	加藤	高橋
11	吉田	木村
12	山田	前田
13	山本	林
14	石井	橋本
15	山口	西村
16	清水	藤原
17	木村	岡田
18	松本	伊藤
19	石川	藤田
20	山崎	山下
21	金子	森
22	井上	藤井
23	佐々木	佐藤
24	小川	清水
25	青木	池田

関東（東京など7都県）
関西（大阪・京都・滋賀・奈良・兵庫）
出典：「名字由来net」等よりデータを抽出し、筆者が集計

65

NAZOTOKI

東日本VS西日本

マグロは東高西低、タイは西高東低、魚の好みが東西で違うのはなぜ？

春を迎えると黒潮に乗って北上して来る**カツオ**は「初鰹」と呼ばれ、「ふとんや女房を質に入れても食べたい魚」として江戸っ子に珍重された。しかし、冷凍保存技術が進歩した現代は、季節を問わず食べることができる**マグロ**が、回転寿司でも一番の人気ネタだ。ゴールドの皿に鎮座するマグロは値段も一番、東京豊洲市場の初競りではなんと1匹に3億円を超える値が付くこともあった。マグロは関東では高級魚の代名詞である。

しかし、西日本に住む人々にとって高級魚と言えば**タイ**だ。祝い事があるときには、「めで鯛」と縁起のよい尾頭付きのタイが定番である。関東の人々はカツオやマグロ以外にも、正月の新巻鮭など赤身の魚を好むが、北陸や関西より西の地方では正月の魚の代表格は白身のブリである。関西の人は赤身の魚は下司魚（げすざかな）と呼んで口にせず、タイ、ハモ、ヒラメ、タチウオなど白身の魚を好んだ。この傾向は関西から中国・四国さらに九州へと西へ進むほど顕著である。長崎や福岡のタイの消費量は東日本の2〜5倍、もっともタイを食べない仙台市民の約10倍だ。その一方、長崎や福岡の人が1年間に食べるマグロの量は第1位の静岡市民の10分の1ほどである。マグロなどの**赤身魚は東高西低**、タイなどの**白身魚は西高東低**、東日本と西日本の人々の魚の嗜好にはまったく逆の傾向が見られる。

理由は漁場の違いである。カツオやマグロは**回遊魚**であり、漁場は外洋で、太平洋に面した東日本の漁港に多く水揚げされる。これら回遊魚が赤身なのは、長い距離を活発に泳ぐために必要なヘモグロビンやミオグロビンなど赤い色素のタンパク質が血液や魚肉に多く含まれているからである。

これに対し、タイ、ヒラメ、ハモ、タチウオは瀬戸内海や東シナ海がおもな漁場となる**近海魚**であり、ヘモグロビンなどは少なく、身が白いのが特徴だ。ただ、サケは身が赤いが、これは赤い色素を持つオキアミを餌としているからであって、水産学では白身魚に分類される。また、白身魚と思われがちなブリも、魚肉の色には関係なく、ヘモグロビンなどの含有率から赤身魚に分類されるというからややこしい。

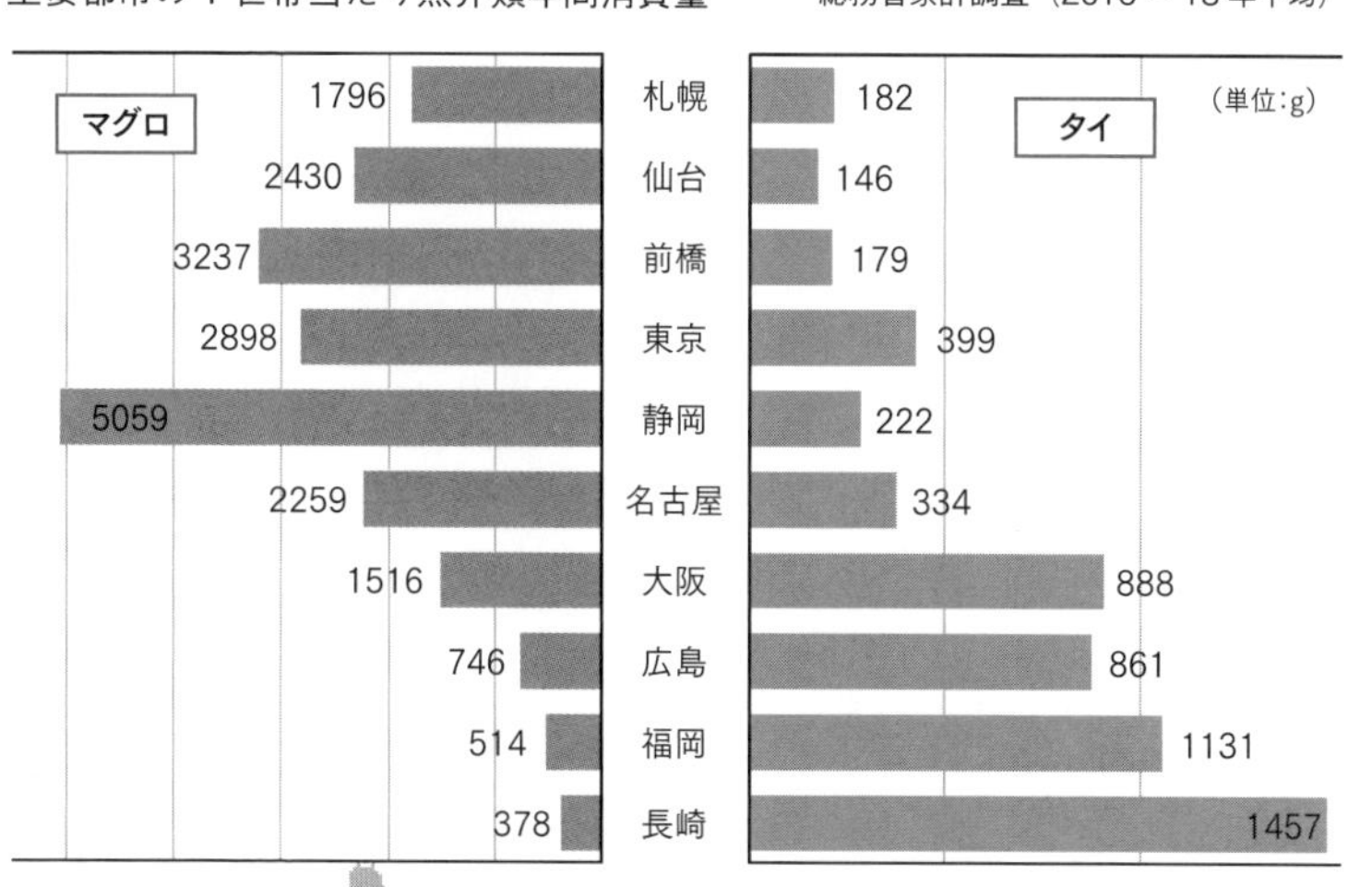

66

NAZOTOKI

東日本VS西日本

なぜ関東人は「バカ」と言われても怒らない？ なぜ関西人は「アホ」と言われても怒らない？

〝**バカ**〟という言葉は「愚かな様子」を意味し、決して言われて嬉しい言葉ではないはずだが、関東人は「バカみたい」とか「バカだねぇ」など、バカという言葉を友人や家族の間で親近感を込めてよく使う。言われた側も、相手がまったくの他人でなければ、それで傷ついたり、むかついたりすることはない。一方、関西人は「アホやなぁ」とか「そんなアホな」とか、やはり、親しみや優しさを込めて〝**アホ**〟という言葉を気軽に使い、言われた側も、いちいち気にしない。関東人はバカという言葉を、関西人はアホという言葉を、悪気なしに同じようなニュアンスで使っている。

しかし、関東人はバカと言われることは許せても、アホと言われるのは我慢ができない。関東人にとって、バカは失敗や間違いなど言動の誤りを軽く指摘する言葉だが、アホは人を侮辱したり、軽蔑したりする人格否定の意味合いに感じられるのである。関西人はその逆でバカと言われるとカチンとくる。これは、関東人にとってアホ、関西人にとってバカは、普段の会話の中ではほとんど使われることがない言葉なので、アホやバカと言われると、「なんでそんなことを言われなきゃならんのだ。」となってしまうのだ。ただ、バカには「ばか正直」「親バカ」「今日はバカに暑い」など度が過ぎる様子を表わす意味もあり、関西人もそ

のようなバカの使い方をすることはある。ちなみに関西人は「あほ正直」とは言わないが、「アホみたいに暑い」とは言う。

他の地域の人はバカやアホのどちらの言葉を使うのだろうか。日本の文化の特色や傾向は、中部地方を境にして東日本と西日本にはっきり区分される場合が多いが、アホとバカの分布は少し違う。アホをよく使うのは近畿地方とその周辺地域だけで、その西の中国地方や九州ではアホよりもバカがよく使われる。「踊るアホウに見るアホウ、同じアホなら踊らにゃ損損」これは徳島の阿波踊り歌の出だしだが、アホをよく使うのは徳島あたりまでだ。

関東・関西の中間の名古屋周辺では〝**タワケ**〟という言葉をよく使う。テレビの時代劇で武士が「このたわけ者！」と怒っているシーンがあるが、これは江戸時代の武士には、徳川氏をはじめ、現在の愛知県にあたる三河や尾張出身者が多かったせいかもしれない。他にも〝ホンデナス（宮城県）〟〝ダラ（北陸地方）〟〝アンゴー（岡山県）〟など各地に同じような意味を持つ言葉があるが、全国的にはバカがもっとも多く使われているようだ。

ただ、近年、関西のお笑い芸人が全国ネットのテレビ番組に頻繁に出演し、彼らの関西弁を聞き慣れたこともあって、関西以外の人たちもバカよりも柔らかい響きのアホという言葉を好意的に受け入れるようになってきた。バカよりもアホと言われる方が抵抗を感じないという若者が増えているという。ただ、どちらにしろ、バカやアホは本来良い意味の言葉ではないので、親しいからといって上司や目上の人に対しては使わないほうが無難である。

67

NAZOTOKI

沖縄

沖縄出身の芸能人が多いのはなぜ？

「平成の歌姫」と呼ばれた安室奈美恵をはじめ、GACKT、三浦大知、DA PUMPなどのアーティスト、女優では仲間由紀恵、新垣結衣、黒木メイサ、お笑い芸人ではスリムクラブ、ガレッジセールなど「エッ!? あの人もそうなの」と思えるほど沖縄は多くの芸能人を輩出している。青森県、滋賀県、愛媛県は沖縄県とほぼ同じ人口だが、これらの県出身の芸能人の名を何人挙げることができるだろうか。沖縄から多くの芸能人が生まれる背景には何があるのだろうか。

まず環境である。沖縄は、エイサーなど独自の舞踊や音楽が伝統的に培われ、「歌と踊りの島」と呼ばれることもあり、県民は子どもの頃からそのような芸能に親しんできた。また、長くアメリカの統治下にあったことから、ジャズやロックなどアメリカの文化に触れる機会も多かった。1970年代にそのような環境の中で音楽活動を始めた南沙織やフィンガー5が注目され、平成に入ると安室奈美恵やSPEEDがブレイクする。安室やSPEEDは、1983年に那覇市内に開校したタレント養成の「**沖縄アクターズスクール**」の出身だが、このスクールはその後も多くの歌手や俳優を送り出している。今、芸能界で活躍している沖縄出身者の多くはこのスクールで養成されたといっても過言ではないだろう。

沖縄出身の芸能人でも、男性より女性のほうが注目度が高い。理由は、沖縄美人とも呼ばれる日本人離れした沖縄女性のルックスである。沖縄出身のある女性は、東京で仕事をするようになると、沖縄では自分の顔を普通だと思っていたのに、東京では周囲の人から「目が大きくて彫りが深いね。外国の女優さんみたい」と言われて驚いたという。P.206の縄文人の話とも関連するが、沖縄の女性は目鼻立ちがはっきりし、まつげや眉毛が濃くて小顔で手足が長く、スタイルがよいのでグラビア映えするという。

もう一つ、理由がある。「沖縄」というブランドだ。前述の青森県や愛媛県出身の芸能人ももちろんいるのだが、彼らがその県の出身であるという点で注目されることはほとんどない。元SMAPの草彅剛が愛媛県出身であることを彼のファン以外の人はほとんど知らないだろう。しかし、沖縄出身の芸能人は、それだけでまず注目される。都会でもなく、田舎でもない、自然や文化が非日本的な沖縄のイメージは、そのまま沖縄出身者のイメージに繋がる。全国の芸能事務所や音楽関係者が、安室奈美恵や仲間由紀恵に続くタレントを発掘するために頻繁に沖縄までスカウトに行くという。これからも、沖縄出身の歌手や女優は次々と出てくるのではないだろうか。

68

NAZOTOKI

沖縄

沖縄の子どもが、吐く息が白くなるとテンションが上がるのはなぜ?

登校や出勤時の朝、吐く息が白くなると、思わず肩をすくめてプルプルと震えてしまう。秋が深まり冬が近づいてくると、誰もがそんな体験をし、寒々とした気分になる。しかし、沖縄の子どもたちは、口から**白い息**が出ると、テンションが上がってハァ〜ハァ〜と息を出しまくり、中には「口から煙が出たぁ!」とはしゃぐ子もいるそうだ。沖縄以外の子どもならおそらく白い息くらいで、はしゃぎはしないだろう。しかし、沖縄では息が白くなるほど冷え込むことはほとんどなく、子どもたちには異例なことなのだ。

白い息は、簡単に言えば湯気である。口から吐き出された暖かい息に含まれる水蒸気が外気で急激に冷やされることによって白くなる現象だ。息と外気の温度差が原因で、雨の日など湿度が高い日は特に白い息が出やすく、湿度70%の場合は13〜15℃くらいから息は白くなる。沖縄は冬の12〜2月でも平均気温は17〜20℃で、最低気温が15℃を下回ることは少なく、また冬は晴れる日が多いので、息が白くなることは珍しいのだ。

息が白くなることでテンションが高くなるくらいなら、**雪**が降ればもっと大騒ぎだ。もっとも、沖縄本島では1887(明治20)年に那覇に測候所が開設されて以来、約140年の間に降雪の記録は1度しかない。雪が降る条件はまず上空に雪雲があること、そして地上の温度が関係する。地上が０℃以下ならまず雪になるが、６℃くらいでも湿度が低ければ雪になることがある。しかし、吐く息すら白くなる日が珍しい沖縄は、どんなに気温が下がっても10℃を下回ることはめったになく、沖縄には雪が降らないというのが常識と思われている。

ただ、１４０年の観測史上たった1度だけ降ったのが、実はごく最近の２０１６（平成28）年1月24日のことだ。久米島と本島北部の名護市で、この日の夜に約15分ほど断続的にみぞれが観測された。みぞれは分類上は雪として記録される。この日のＳＮＳには「すごいの！沖縄に雪が降ったよ！」「寒さ吹っ飛んだ！」「ユキ！ユキ！ユキ！ヤバい」このような書き込みが集中し、多くの人が深夜にもかかわらず、外へ飛び出し、空を仰いでもはや感動の状態だったという。この日は数十年に一度という猛烈な寒気が西日本上空付近に流れ込み、沖縄県内の各地で観測史上最低気温を更新し、もっとも北に位置する国頭村では平年より7.6℃も低い4.5℃を観測している。

ちなみに、この日は九州各地も記録的な大雪が観測され、奄美大島では１１５年ぶりに雪が降り、長崎では観測史上最多の17㎝の積雪があり、長崎の子どもたちは生まれて初めての雪だるま作りを体験したそうだ。

69

NAZOTOKI

九州

九州人が日本酒よりよく焼酎を飲むのはなぜ？

フランスにはワイン、ドイツにはビール、ロシアにはウォッカ、韓国にはマッコリというように、世界の国々にはそれぞれ伝統のお酒がある。日本の伝統の酒と言えば、日本酒（清酒）や焼酎だ。ただ、２０１７年の国税庁の統計では、成人１人が１年間に飲む日本酒は平均5.1Ｌ、焼酎（単式蒸留焼酎いわゆる本格焼酎）は3.6Ｌ、沖縄から北海道まで全国どの地方にも必ず蔵元がある日本酒に対し、焼酎の生産量や消費量は地域差がかなりある。

そんな中、「**焼酎王国**」と呼ばれているのは九州だ。全県すべて、焼酎の消費量が日本酒を大きく上回っている。九州７県の成人１人当たりの焼酎消費量は全国平均の約３倍の10・7Ｌ、対して日本酒消費量は3.7Ｌで全国平均よりかなり少ない。九州各県はビールやワインなどの他の酒類の消費量も全国平均より低く、お酒を飲むならとにかく焼酎という人が多い。

なぜ、九州人は焼酎をよく飲むのか、その理由を、成人１人当たり21・８Ｌと焼酎消費量が全国一の鹿児島県の事情を見てみよう。鹿児島と言えば「**芋焼酎**」である。県内には１００を超える蔵元があり、２０００を超える銘柄の芋焼酎が造られている。鹿児島で芋焼酎造りが盛んなのは、原料であるサツマイモの生産量が全国一であることが第一の理由だ。県内の全域に広がる火山灰のシラス台地は、水を通しやすく水持ちが悪いため、稲作には向

かないが、サツマイモ栽培には適している。また、地中に成長するサツマイモはこの地方に毎年のように襲来する台風の被害を受けにくい。生産量が少なく貴重な米を酒造りに回せない鹿児島では、豊かに収穫できるサツマイモを原料として芋焼酎を造るようになったのだ。

温暖な気候も要因である。日本酒の場合は、基本的に秋に収穫した新米を仕込んで気温が低い冬から春にかけて造られる。日本酒の仕込みに使われる黄麹は、寒い冬にじっくり発酵させることによって深みのある繊細な味や香りを産み出す。しかし、黄麹は高温に弱いため、冬でも温暖な地方では日本酒造りが難しい。それに対し、焼酎造りに使う黒麹は高温に強く、暑い地方の酒造りに適した菌である。

さらに、醸造酒である日本酒に比べ、蒸留酒である焼酎はアルコール度数が高いために劣化しにくく、保存に適していることも温暖な鹿児島で焼酎が好まれる理由だ。

九州の中でも熊本は**米焼酎**、大分は**麦焼酎**が名産である。どちらも黒麹を使った蒸留酒であるのは同じだが、熊本の米焼酎は、球磨(くま)川流域の肥沃な平野や盆地で生産される米を原料としている。大分の麦焼酎は意外と歴史は新しく、1970年代に県内の酒造会社が麦100%の焼酎の開発に成功したことにより、一躍、日本一の麦焼酎の産地へと変貌した。

かつて、焼酎は九州以外の人にはあまり飲まれず、安酒のイメージを持たれ、昭和の頃にはその消費量は日本酒の70分の1にも満たなかった。しかし、近年は本格的なブランド焼酎が人気を高め、また、酎ハイなど新しい飲み方が広がって日本酒との差がなくなっている。

70

NAZOTOKI

四国

香川県民が日本一うどんをよく食べるのはなぜ？

主食はうどん、おかずはうどん、おやつはうどん、これが「**うどん県**」の異名を持つ香川県民の食生活だそうだ。もちろん誇張だろうが、それでも香川県が実施した調査によると、男性が年間310玉、女性は149玉、つまり香川県の男性は1週間に6杯、女性でも5日に2杯の割合でうどんを食べているという。全国平均の年間26玉とは格段の差がある。

香川県では昔から何かがあるとうどんを食べる習慣があった。まず、正月は「**年明けうどん**」、雑煮にうどんを入れる家庭もあるそうだ。ひな祭りには「**ひなうどん**」を食べて女児の成長を祝う。そうなると端午（たんご）の節句にもうどんは欠かせない。7月2日は「**うどんの日**」である。この日は夏至から数えて11日目の「半夏生（はんげしょう）」と呼ばれる日で、この日までに田植えを終え、その労をねぎらってうどんを振る舞う習慣があったことから、香川県では7月2日を大切な人にうどんを振る舞う県民デーとして「うどんの日」を設定した。お盆にはつゆを入れたお皿にうどんを盛って供える。季節に関係なく、結婚や新築などのお祝い事の際や、法事でも人々にうどんをよく振る舞う。地元の大学の研究チームが聞き取り調査をしたところ、現在でも「法事にはうどんを出す」と回答した家庭が9割を超えていたという。そして、1年の終わり、大晦日も香川県では年越しそばではなくもちろん「**年越しうどん**」だ。

決まり事があったときだけではなく、もちろん普通の日でも香川県民はうどんをよく食べる。朝は出勤前にモーニングうどん、昼のランチは２００円のセルフうどん、夜、飲んだ後にはシメのうどん、このようなサラリーマンは珍しくないそうだ。

うどんは香川県民のソウルフードであり**「さぬきうどん」**として全国に知られているが、広まったのは江戸時代以降である。当時、讃岐と呼ばれた香川県でうどんが特産となったのは、この地方でうどんの原料となる良質の小麦粉が多く生産されていたことが第一の理由である。雨が少なく干ばつの多い讃岐地方では、米の生産は安定しなかったが、水を多く必要としない小麦の栽培は適しており、小麦が米の代用品として欠かすことのできない食材になっていた。それに加え、讃岐地方は塩田が多く塩作りが盛んだったこと、いりこ（イワシの煮干し）の産地であったこと、対岸の小豆島では古くから醤油の製造が盛んだったことなど、うどんの出汁(だし)の素材が揃っていたことも大きな要因だ。また、当時、小豆島ではそうめん作りも行なわれており、製麺技術を持った人が移り住んで、洒落のつもりで作った極太ソーメンが讃岐うどんの原型だという説もある。

現在では、讃岐うどんに使われる小麦粉のほとんどは**オーストラリア産**である。しかし、オーストラリア産とはいえ、使われるのは讃岐うどん独特の弾力やモチモチ感を出すために製麺用に品種改良された数種類の小麦が特別にブレンドされた小麦粉だ。なお、讃岐うどんには、詳細に定められた成分や製法を守り、香川県内で製造されたものという定義がある。

71

NAZOTOKI

四国 坂本龍馬は今でも高知県民のヒーローか？

「出雲縁結び空港」や「コウノトリ但馬空港」など、近年、愛称を付ける空港が増えているが、高知空港は「高知龍馬空港」と言う。もちろん、郷土のヒーローである**坂本龍馬**に因んだ名である。人名を空港名にするのはケネディ空港（ニューヨーク）やドゴール空港（パリ）など海外には多く見られるが、国内では高知空港だけだ。鹿児島県の西郷隆盛、山梨県の武田信玄など全国各地には、郷土のヒーローと呼ばれる歴史上の人物は他にも多いが、空港名になるほど郷土の人々に慕われ、尊敬されているヒーローは龍馬以外にはいないだろう。高知県内でそれを裏づける事例をいくつか紹介しよう。

【坂本龍馬に関する資料館】 ●高知県立坂本龍馬記念館 ●「龍馬伝」幕末志士社中
●龍馬歴史館 ●高知市立龍馬の生まれたまち記念館 など

【坂本龍馬の名が付いた施設】 ●龍馬郵便局 ●高知龍馬ホテル ●学校法人龍馬学園
●龍馬進学塾 ●佐川龍馬神社 ●龍馬の湯 ●喫茶「龍馬」 ●龍馬公園 など多数

【坂本龍馬に関するイベント】 ●龍馬祭り ●龍馬生誕祭 ●高知龍馬マラソン など

【坂本龍馬像】 ●桂浜公園 ●龍馬公園 ●坂本龍馬記念館 ●龍馬の生まれたまち記念館
●龍馬歴史館 ●高知駅前 ●水族館 ●空港 ●観光遊覧船乗り場 ●小学校玄関

●郵便局　●道の駅　●土産店　●ホテル　●飲食店　●コンビニなど約40ヵ所

坂本龍馬の銅像は北海道や東京・京都など高知県外にも多く設置されており、銅像になった偉人としてはおそらく日本一ではなかろうか。かつて百円紙幣の肖像にも採用され、日本の議会政治の発展に大きな業績を残した板垣退助も、龍馬と同じ土佐藩出身で、知名度では決して龍馬に劣らないが、板垣の銅像は高知県内には1ヵ所あるだけだ。

雑誌などで好きな歴史上の人物という特集があると、坂本龍馬の名は必ず上位にランキングされる。激動の幕末に、時代の先を読み、夢を追い続け、志半ばで倒れた龍馬の生き方に共鳴する日本人は多い。しかし、明治維新に貢献できず、また薩長の二大藩閥の出身ではなかったので、明治当初、坂本龍馬はそれほど人々に知られた存在ではなかったという。地元高知の新聞が龍馬の功績を連載小説で紹介するようになり、徐々に彼の名は人々に知られるようになるが、今のようにスーパーヒーローになったのは、司馬遼太郎の名作**『竜馬がゆく』**の影響が大きいと言われている。ただ、多くのファンが抱く颯爽とした青年竜馬のイメージは小説の中の人物であり、彼の業績は過大評価されていると指摘する人たちが少なからずいる。その一方、司馬は執筆にあたって膨大な史料を検証しており、彼が描いた龍馬は根拠のない創作ではないと主張する人もいる。もっとも高知県民にとってそのような論争は関係なく、今もこれからも龍馬は県民の心の中のヒーローであることは間違いないだろう。

72

NAZOTOKI

中国地方

広島の小中学生は学校の授業で「広島カープ」について学ぶというのはホントだろうか?

瞬間最高視聴率74・1%、紅白歌合戦でもオリンピックでもFIFAワールドカップでも達し得なかったこの数字は、2016(平成28)年に25年ぶりに優勝した**広島カープ**の日本シリーズ第3戦、広島地区での瞬間最高視聴率である。広島では、通常の野球中継でも平均視聴率は30%を下回ることはないという。2014年には「カープ女子」という言葉が流行語大賞にノミネートされたことも記憶に新しい。広島市民(県民)の熱烈なカープ愛は有名だが、広島市内の子どもたちは、学校でも授業で「広島カープ」について学ぶという話は、さすがににわかには信じられないという人が多いだろう。

しかし、これは決して都市伝説ではない。2006年、国から「**ひろしま型義務教育創造特区**」として認定を受けた広島市では、『わたしたちの広島東洋カープ』というテキストを作成し、市内の204全小中学校で、年間35時間のカープについて学ぶ授業が行われている。テキストには、カープのあゆみ、市民との絆、順位と動員数、カープファンの声、主力選手プロフィールなどが紹介されている。この授業は生徒の言語運用能力、数理運用能力を定着させ、思考力・判断力・表現力の向上を図ることをねらいとしているという。

中日・楽天・ソフトバンクなど、地域に密着し、地域の人々の熱烈な支援を受けている球団は他にもある。しかし、広島が他球団と違うのは、セパ12球団中、唯一親会社を持たず、「**市民球団**」と呼ばれていることだ。広島カープは、戦後間もない1949（昭和24）年、原爆により焦土化した広島の復興の象徴として、新聞社や電鉄会社などの地元企業の出資や市民からの寄金によって誕生した。当初は、選手の給与が支払えなかったり、遠征費用が調達できなかったりして、球団は資金繰りに窮し、チーム存続の危機が続いたが、そんな時には市民が募金活動を行なって球団を支えた。その後、1975年には赤ヘル旋風を巻き起こし、広島市出身の「ミスター赤ヘル」こと山本浩二らの活躍で、初のリーグ優勝、1979年には悲願の日本一、平成の終わりの2016～18年にはリーグ3連覇を成し遂げる。

球団の正式名は「**広島東洋カープ**」と言う。〝東洋〟の文字が入るのは、かつて東洋工業（現マツダ）が筆頭株主であったことに由来し、現在もマツダが約3割、創業者の松田一族が約4割の株を保有している。ただ、巨人は読売新聞、阪神は阪神電鉄というように他の球団には親会社があるが、マツダは広島カープの最大のスポンサーではあっても、親会社ではなく、球団の経営には関与していない。広島は、独立採算により自主運営を続ける唯一の球団なのだ。そのため、広島は他球団のように親会社から資金面で援助を受けることがなく、貧乏球団と揶揄されることもあった。しかし、広島はなんと初優勝以来40年以上も黒字経営を続けている優良企業である。球団の収入の3分の1を占める約60億円はファンが購入するカープグッズであり、広島市民には自分たちが育ててきた球団という意識が強い。

73

NAZOTOKI

関西
大阪のおばちゃんが、飴を「アメちゃん」と呼ぶのはなぜ？

白間「今日は、髪の毛さんをまきまきしてましたが……」
山本「髪の毛さんってなんやねん」
白間「お水さんいっぱい飲んでる(･v･)お腹がタポタポだぁぁ！！！！」

ＮＭＢ48の白間美瑠さんと山本彩さんがＳＮＳでこのようなやりとりをしていたそうだ。

通常、〝さん〟は人に対する敬称として使われるが、しばしば、関西の人は人以外のものに対しても〝**さん**〟〝**ちゃん**〟を付けて呼んでいる。例えば、食べものでは、お豆さん、お芋さん、おかいさん（お粥）、おいなりさん（いなり寿司）などだ。女優の中村玉緒さんがＣＭで「マロニーちゃん」と連呼し、それがそのまま商品名になったエピソードも有名だ。

そんな言葉のうち、関西以外の人が初めて聞くと、思わず固まってしまうのが、「**アメちゃん**」と飴を〝ちゃん〟付けで呼ぶことだ。おばちゃんたちはもちろん自分でも食べるが、「アメちゃんあるけど食べへんか」と、友だちや職場仲間はもちろん初対面の人にも気軽に飴を配る。あるテレビ番組が調査したところ、東京では9％だったのに対して、大阪では84％のおばちゃんがバッグに飴を持っていたそうだ。アメちゃんはおばちゃんたちにとって必須のコミュニケーションツールなのである。

「おはようさん」「ありがとさん」「ごきげんさん」「おまっとぉさん（お待たせしました）」など挨拶言葉にも関西人は〝さん〟をつける。「おつかれさん（様）」「ご苦労さん（様）」などは全国的に使われているが、基本的にはそれらと同義で、関西ではその応用範囲が広い。

神社仏閣も関西人は親近感を込めて〝さん〟付けで呼ぶ。大阪では「すみよっさん（住吉大社）」「えべっさん（今宮戎神社）」、京都でも西本願寺は「お西さん」、東本願寺は「お東さん」、伊勢神宮も関西人は「お伊勢さん」の呼び名で親しんでいる。関東にも人々に親しまれている寺社は多いが、もちろん〝さん〟付けなどでは呼ばれない。「浅草の観音様」「川崎の御大師様」とは呼ぶが、この場合の〝様〟は神仏への敬称であって、寺社そのものを指していない。

これほど様々なものに親しみを込めて〝さん〟や〝ちゃん〟を付けて呼ぶのは関西人だけだろう。その起源は京都の御所言葉だそうだ。宮中の女官たちは、「お〇〇さん」「ご〇〇さん」などのように、天皇など高貴な人たちに対して最大限の丁寧語を遣い、それらがやがて京都の町衆さらに大阪の町人へ広まったという。それならば〝さん〟よりも〝様〟の方が丁寧ではないかという疑問が生じる。しかし、「〇〇様」という言葉は公家社会にはなく、貴人に対して〝様〟を付けることが一般化するのは近世以降の武家社会だ。大阪生まれの作家田辺聖子さんは、古来より宮中では使われた敬称は〝さん〟であり、〝さま（様）〟はそもそも東京の方言だと語っている。

74

NAZOTOKI

東海

愛知県民や岐阜県民が、喫茶店が大好きなのはなぜ？

岐阜市1万5084円、名古屋市1万1925円。

この金額は、岐阜市（岐阜県）と名古屋市（愛知県）の1世帯当たりの1年間の喫茶代である（総務省家計調査2016～18）。全国平均の6545円を大きく上回り、両市が断トツで全国の1位と2位を占めている。ただ、両市の人たちの年間のコーヒー購入額は全国平均と比べるとそれほど変わらない。彼らはコーヒーが好きというより、喫茶店が好きなのだ。

彼らは喫茶店をどのように利用しているのだろうか。まず、県外から初めて来た人は誰でも驚くゴージャスな**モーニングサービス**だ。コーヒーにトースト、ゆで玉子、サラダが付くのは定番である。さらに季節のフルーツ、ヨーグルト、グラタン、スパゲッティ、茶碗蒸しやうどんまで付く店がある。もちろん代金はコーヒー代のみだ。雑誌や新聞が必ず置かれているのもこの地域の喫茶店の特徴である。その場合の新聞とは中日新聞と中日スポーツであり、年金生活のおじさんたちがモーニングセットを食べ、中日スポーツを読みながら、ドラゴンズの話題で盛り上がっているのはよく見かける光景だ。お昼前後には、子どもや夫を送り出し、家事が一段落したママさんたちが集まり、喫茶店談義の場となる。**ティータイム**のコーヒーにももちろんサービスがあり、まず、どこの店でも小袋に入った豆菓子が必ず付く。

さらに、クッキー、バームクーヘン、ワッフル、フルーツゼリーなどの菓子が付く店も多い。筆者も愛知県民だが、筆者が利用する店では1時間ほど経つと、なぜか昆布茶が出る。サービスがよいのか、それとも長居を咎められているのか気になるが、尋ねる勇気がない。

このような喫茶店文化は、名古屋や岐阜郊外でも見られるが、その発祥地とされるのは岐阜と名古屋の中間に位置する一宮市だ。一宮市は古くより繊維産業で栄えていたが、全盛期の昭和30年代には、市内に数多くの「機屋（はたや）」と呼ばれる町工場があった。工場の織機からはとても大きな機械音がするため、業者たちは騒音を避けて喫茶店で商談をするようになり、何度も通う常連となった人たちに、マスターが朝のコーヒーにゆで卵とピーナッツを付けたのがモーニングサービスの始まりとされている。一宮市は養鶏業が盛んであり、新鮮な玉子が安く入手できたことも背景にあるだろう。人口1万人当たりの喫茶店数の全国平均5.5店に対し、名古屋市は約17店、一宮市はさらに多く約20店である。岐阜県で喫茶店がもっとも多いのは、一宮市と同じように刃物作りという地場産業が盛んな関市で、人口1万人当たり約15店、やはり業者の商談の場として喫茶店が利用されてきたそうだ。

しかしこれほど店舗数が多く、過剰に思えるモーニングサービスで競い合っていて店は採算が採れるのだろうか、当然、疑問が湧く。実際、喫茶店など飲食業は多産多死つまり開業も多いが廃業も多い業界であり、喫茶店王国と呼ばれる愛知県や岐阜県でも喫茶店経営は大変なようだ。ちなみに今では各地に見られる**マンガ喫茶**が発祥したのも名古屋である。

75

NAZOTOKI

北陸
「保守王国」と呼ばれる北陸3県、選挙で自民党に投票する人が多いのはなぜ？

地方には「**保守王国**」や「**自民王国**」と呼ばれる県が多い。とりわけ北陸地方の富山・石川・福井の3県は選挙になると自民党が圧倒的に強く、この3県から選出される衆議院8名、参議院6名の全議席を自民党が占めている。2017年の衆議院議員総選挙比例代表の自民党の得票率は、全国では38・6％だったが、北陸3県では左ページの表でもわかるようにほぼ2人に1人が自民党に投票している。北陸地方の人はなぜ自民党に投票するのだろうか。選挙の際にはメディアでも取り上げられることがあるが、それらを整理すると次の三つのケースが考えられる。

まず、第一は自民党という**保守政党**を支持し、投票する場合である。外交や経済、安全保障などの自民党の政策や実績を評価し、野党などにはとても政治を任せられないという理由だ。このような投票理由は、一見、地域性とは関連がないように思えるが、都市部に比べ閉鎖性が強い農村部は大きな変革を求めない保守的な考えを持つ人が多いとされる。

第二は見返りを期待して投票する場合である。有権者は業界への補助金、公共事業、空港や高速道路、新幹線などのインフラ整備などを期待して**政権与党**である自民党に投票する。2015年、北陸新幹線はようやく金沢まで開業した。関西方面と繋がるのはまだまだ先の

ようだが、実は、インフラ整備が遅れている地域ほど自民党の得票率が高い。道路や空港建設などを公約に挙げる自民党候補者が得票を伸ばすという。

第三は地縁や血縁などの人間関係で投票する場合である。地域の有力者、農協や業者団体などのしがらみは農村社会ほど強固だ。日本の農村社会は古くから相互扶助の精神や隣人意識が強く、江戸時代には名主や庄屋が中心となり、村は共同体的な運営がなされていた。人口移動が少なく、住民の連帯意識が強い農村社会は、明治以降もこの住民相互の親密な関係が維持され、今ではそれが自民党の地方議員の後援会組織に大きく関連している。自民党の森喜朗元総理の選挙区は石川県だが、森家は江戸時代には庄屋を務めていた旧家で、代々の当主は地元の村長や町長として地元民の支持を得てきた。農村部には、このように古くからの地縁や血縁で結びついた強固な後援会組織を持つ自民党議員が多く、それが自民党の集票に繋がるのだ。ただ、支援者は候補者個人には投票するが、必ずしも自民党の主義や政策に賛同しているわけではなく、候補者が自民党を離れると自民党には投票しない。離党して他党を組織した小沢一郎氏の選挙区がある岩手県で自民党の得票率が低いのはそのためだ。

衆院選比例代表（2017）の自民党の県別得票率

県	得票率
①石川県	51.3%
②福井県	49.4%
③群馬県	48.1%
④青森県	47.7%
⑤佐賀県	47.5%
⑧富山県	46.7%
全国平均	38.6%
㊺岩手県	32.3%
㊻大阪府	32.2%
㊼沖縄県	23.2%

76

NAZOTOKI

北陸
雪国の金沢（石川県）の人が、日本一アイスクリームを食べるのはなぜ？

総務省家計調査（２０１６〜18年）によると、金沢市（石川県）の１世帯当たりの**アイスクリーム**の年間支出額は１万１０８２円、９年連続の日本一である。２位は東隣の富山市、金沢市が日本一の座につく前に日本一だったのが西隣の福井市である。北陸の人たちは専用の冷蔵庫を自宅に常備する家庭があるほどアイスが大好きだ。

これには北陸地方の気候が関係している。金沢の冬は毎日のように雪が降り、平均気温は５℃に達せず、どうしても外へ出ることが少なくなる。そのため、人々は部屋を暖房で暖かくして閉じこもってしまうが、そんな暖かい部屋にいると食べたくなるのがアイスなのだ。ただ、そういう事情ならば東北や北海道も同じで、実際、これらの地方のアイスの年間支出額も全国平均を上回っている。ただ、東北や北海道は夏は涼しく、アイスの消費量は伸びないが、金沢の８月の平均気温はおよそ27℃、四国や九州の都市とそれほど違いはなく、夏でもアイスの消費量が落ち込むことはない。

金沢特有の理由がもう一つある。そもそも金沢の人は甘党の人が多く、お菓子が好きなのだ。総務省が公表している２００９年以降の１世帯当たりの菓子類支出額は、金沢市がずっと日本一である。種類別に見ると和菓子が全国1位、ケーキも1位、チョコレートが2位、スナック菓子が3位、金沢市民はお菓子なら何でも好きである。金沢は京都や松江（島根県）と並ぶ「日本三大菓子どころ」として古くから知られている。3市に共通しているのは、いずれも茶の湯文化が発達した土地であり、それに伴い和菓子作りが発展していることだ。金沢ではその和菓子がいつしか庶民の生活に浸透した考えられる。

それでは日本でもっともアイスクリーム食べない地方はどこかというと、意外にも亜熱帯の沖縄である。那覇市の1世帯当たりのアイスクリームの年間支出額は7309円、金沢市民の3分の2ほどだ。沖縄は1年のうち最高気温が30℃を超える真夏日が年間100日以上あるが、実はアイスクリームは気温があまり高くなると売れなくなるそうだ。アイスクリームがもっともおいしく感じる気温は25℃くらいがピークで、30℃を超えるとかき氷や氷菓、冷たいドリンク類の売り上げが伸びるという。また、ある沖縄の人は「夏には、ぜんざいをよく食べるのでアイスクリームはあまり食べない」と言っていた。「エッ!?　なんで夏にぜんざい?」と不思議に思われるかも知れないが、沖縄の「ぜんざい」は、黒糖で甘く煮た金時や白玉団子をトッピングしたかき氷であり、あの餅や白玉が入った温かいお汁粉とはまったくの別物だ。

ちなみに、那覇市は、羊羹、せんべい、キャンディ、プリンなどの消費量も全国で最下位だ。沖縄の人は菓子類にはあまりお金を使わないようだ。

77

NAZOTOKI

甲信越地方
長野県民が長寿日本一、その要因はなに？

長野県佐久市にある成田山薬師寺の参道に「**ぴんころ地蔵**」と呼ばれるお地蔵さんが安置された人気の祈願スポットがある。「元気に長生きして（ぴんぴん）、寝込まずに大往生（ころり）したい」と**健康長寿**を願って、全国から多くの参詣者が訪れるそうだ。

長野県は長寿日本一の県として注目されている。厚生労働省が5年おきに発表している都道府県ごとの平均寿命を見ると、男性は、直近の2015年は滋賀県に次いで2位だった。しかし、その差は左ページの表のようにわずかで、それまで長野県は1990年より5回連続で全国1位、女性は2回連続で今回も全国1位だ。これがぴんころ地蔵の御利益によるものかはどうかはともかく、長野県民の長寿の秘密は誰もが気になるところだ。

長寿研究を続けている医師たちが健康で長生きするために重要なこととして、第一に挙げているのは日々の食生活である。そこで、注目したいのは長野県民が野菜をよく食べることだ。成人1人1日当たりの野菜摂取量は344gで全国平均277gの1・24倍、第1位である（2017年厚生労働省調査）。野菜に含まれるカリウムや食物繊維、抗酸化ビタミンは、ガンや脳卒中などの成人病予防に効果があり、免疫力や抗酸化力を高める機能成分（フィトケミカル）は、肥満や高血圧、動脈硬化などの予防・改善に有効とされている。

また、長野県は味噌の消費量も全国一で、味噌以外にも納豆や麹など発酵食品を食べる習慣が根付いている。発酵食品には、腸内の腐敗物質の増加を抑えたり、病原体などと戦う免疫細胞を活性化させたりするなど多くの有用菌（身体に有益な菌）が含まれている。

運動や生きがいも健康長寿には欠かせない。長野県の高齢者の有業率は男性が41・6％、女性が21・6％でともに全国一である（2017年総務省調査）。長野県には、年をとっても畑仕事を続け、それを生きがいに感じている人が多いという。さらに平地が少ない長野県では、畑へ行くのに坂や段差の上り下りで運動量が自然と増えるのだそうだ。また、ボランティア参加率や旅行・行楽に行く人の割合も長野県は全国上位で、「日々何かすることがある」という生きがいを持っている高齢者が多い。標高が高い長野県は酸素が薄いため、住民の心肺機能が発達し、これが健康長寿の要因の一つになっているという説も興味深い。

豊かな自然が広がり、新鮮な果物や野菜が豊富な長野県は12年連続で「移住したい県」の1位だというが、今後はぴんぴんころりの健康長寿を願って移住する人が増えるかも……。

都道府県別平均寿命（歳）

男性		女性	
①滋賀	81.78	①長野	87.68
②長野	81.75	②岡山	87.67
③京都	81.40	③島根	87.64
④奈良	81.36	④滋賀	87.57
⑤神奈川	81.32	⑤福井	87.54
全国平均	81.09	全国平均	87.26
㊺岩手	79.86	㊺茨城	86.33
㊻秋田	79.51	㊻栃木	86.24
㊼青森	78.67	㊼青森	85.93

78

NAZOTOKI

東京
東京人は見栄っ張りが多いというのはホントだろうか？

久しぶりに再会し、居酒屋で盛り上がった東京・大阪・名古屋出身の3人、支払いの際に、東京人は「全部でいくらになるだろう」、大阪人は「1人当たりなんぼになるやろ」と考えるという。東京人は気前よく自分がおごるつもりであり、大阪人は割り勘のつもりなのだ。見栄っ張りの東京人、見栄を張らない大阪人の気質を表わしたジョークだが、実際はどうなのだろうか。東京人の見栄の強さを裏付けるような話題を少し紹介しよう。

〈その1〉ある雑誌社が、社長たちの日常について調査したところ、東京の社長の多くがロレックスの腕時計をし、ベンツやボルボなど外車に乗っていたが、大阪では、腕時計はセイコー、車はクラウンなどの国産車という社長が多かったそうだ。もちろん、大阪にもロレックスやベンツが好きな社長はいるが、そのような社長の評判は概してあまりよくない。総務省の調査では東京都民が所有する乗用車数に占める外車の割合は約14％、大阪府の7.9％や全国平均6.1％の約2倍だ。社長でなくても東京人は外車に憧れるようだ。

〈その2〉東京人は高く買ったものを、大阪人は安く買ったものを自慢するという話題があるテレビ番組で取り上げられていた。大阪人は、値切って安く買ったことは得意げに友人に話すが、高い買物をしても、それを他人に話したりはしない。一方の東京人は自分の高級ブランド品をさりげなく人に見せる。総務省の家計調査でも、年間1人当たりのシャネルやルイ・ヴィトン、バーバリーなどのブランド品の購入額の全国1位はもちろん東京都である。

〈その3〉左はあるブライダル会社の調査による新婚夫婦が結婚時に準備した資金である。

○東京　挙式費用353万円　新婚旅行費用62万円　新生活費用（家電、家具等）75万円
○大阪　挙式費用330万円　新婚旅行費用60万円　新生活費用（家電、家具等）109万円

東京人はイベントに、大阪人は実用的なものに使う傾向がある。

〈その4〉街頭でよく見かけるティッシュ配り、東京人は受け取らない人が多いという。誰かが見ていたら恥ずかしい、かっこ悪い、貧乏くさいと思うからだそうだ。総務省の調査で、東京都の1人当たりのティッシュ購入費は866円、全国平均の812円や大阪府の704円を上回っている。東京人がタダのティッシュをもらわないことの裏付けだろうか。

東京人はなぜ見栄っ張りが多いのだろうか。江戸の昔、「**武士は食わねど高楊枝**」と武士はどんなに生活が苦しくても貧しさを見せずにやせ我慢をし、町人も「**江戸っ子は宵越しの銭は持たない**」などとお金に執着することを野暮とし、気前の良さにこだわった。東京人が見栄が強いのはそんな歴史的風土にルーツがあるかもしれない。その一方、今、東京に住むのは大半が地方出身者であり、大都市東京で生活するために、彼らは地方出身というコンプレックスの裏返しとして外見や体裁を気にし、見栄を張っているのだという指摘もある。

冒頭の居酒屋のジョークだが、名古屋人は「何てお礼を言えばいいかな」と考えるそうだ。

79

NAZOTOKI

関東

上州（群馬県）名物とされる「かかあ天下（でんか）」の由来はなに？

上州（群馬県）名物と言えば「**かかあ天下とからっ風**」、群馬県民でなくてもこの言葉はよく知っている。空っ風は、冬に越後山脈を越えて北から吹く乾燥した季節風のことだ。かかあ天下は「かかあでんか」と音だけを耳にすると、皇太子殿下や関白殿下など高貴な人への敬称である殿下という言葉を連想する人もいるかと思うが、漢字表記は天下が正しい。しかし、天下の意味は国語辞典によると「世界、国家、国じゅう」とあり、本来は人物を指す名詞ではない。なぜ「かかあ天下」なのだろうか。

この「かかあ天下」という言葉だが、夫を尻に敷いている気の強い奥さんをイメージする人が多いのではないだろうか。実際、「かかあ天下」という言葉を「家庭内で夫より妻の力が強い夫婦関係」というように亭主関白の対義語として説明している国語辞典もあり、現在はそのような意味で使われることが多い。しかし、語源を調べてみると、「かかあ天下」の本来の意味はそれとはちょっと違っている。

群馬県は上州と呼ばれた昔から**養蚕**や**絹産業**が盛んな土地柄だったが、その担い手は女たちだった。春から秋が養蚕の季節だが、蚕は暑さや寒さに弱く、エサとして与える桑の葉も、蚕の成長に応じて大きさや軟らかさを変えなければならないデリケートな生きものだ。そん

な蚕を大切に育てるのが女たちの重要な仕事だった。秋が深まって養蚕の季節が終わると、女たちは、今度は糸挽きや機織りに専念する。上州の農家は、女たちが養蚕・製糸・織物に精を出すことによって家計が支えられていた。女たちに稼ぎが及ばない男たちにとって、働き者の妻は何物にも代えがたく頼れる存在であり、夫がそのような妻への感謝と尊敬の気持ちを込めて「**うちのかかあは天下一の働き者だ**」と自慢したのが「かかあ天下」の由来とされている。つまり、かかあ天下とは空っ風が吹く上州の厳しい風土の中で、言葉や気質は少々荒っぽいところもあるが、懸命に働いて家計をやりくりする妻への夫からの最上級の褒め言葉なのだ。

以前、テレビアニメ『サザエさん』で、夫を尻に敷く怖い妻がかかあ天下だと思っていたサザエさんに、父の波平がかかあ天下の本当の意味を説明する一幕があった。少々勝ち気なところがあっても、働き者でしっかり家計をやりくりする女性が本当のかかあ天下であることを教えられ、サザエさんは目を丸くして驚く。また、夫のマスオさんやその仲間たちもかかあ天下の本当の意味を初めて知り、「亭主関白よりかかあ天下のほうが家庭は上手くいく」「家庭円満の秘訣だね」と和やかに終わったが、視聴者から大きな反響があったという。初めてかかあ天下の由来を知り、この言葉が妻への褒め言葉だったことに賛同する声が相次いだそうだ。

80

NAZOTOKI

関東

餃子が宇都宮市民のソウルフードになったのはなぜ？

ＪＲ宇都宮駅前には「餃子像」と呼ばれる石像がある。北海道のジンギスカン、大阪のたこ焼き、香川のうどんなどソウルフードと呼ばれるその地域特有のグルメは全国に数多いが、市のシンボルとして像にまでしてしまったのは**宇都宮**だけだろう。

宇都宮と言えば多くの人がまず「**餃子**」を思い浮かべるほど、今や宇都宮餃子は全国に知られている。その起源は終戦の頃まで遡る。当時、中国北東部の満州や華北に駐屯していた宇都宮の陸軍第14師団の兵士たちが、除隊して帰郷した際、現地でよく食べていた餃子の味が忘れられず、家庭で作ったり、餃子店を開いたりするようになったのが宇都宮餃子の始まりとされる。まだコンビニやファストフード店が普及していなかった１９６０年代になると、高校生たちが部活を終えて帰宅時に餃子店に立ち寄るようになり、さらに70年頃からファミレスが登場して外食文化が広まると、副食に餃子を添えたランチや定食をメニューに加えた店が増え、餃子は宇都宮市民の味として定着する。

しかし、当時はまだ、宇都宮市民の餃子消費量が日本一であるということに誰も気付いていなかった。そんな餃子が俄然注目されるようになったきっかけは総理府（現内閣府）の家計調査（現在は総務省が実施）である。この調査は全国の都道府県庁所在地と政令指定都市

を対象に毎年実施されているが、1987（昭和62）年に新たに「餃子」が調査項目に追加され、ここで初めて宇都宮市の1世帯当たりの餃子購入額が全国1位であることが判明する。当時、宇都宮には取り立てて名物と呼べるようなものがなく、観光客を呼び込むために何かインパクトのある特産物はないかと模索を続けていた市当局にとって、このことは願ってもないアピールポイントになった。観光協会が「餃子マップ」を作成したり、市内の餃子店が「宇都宮餃子会」を発足させたり、早速、餃子によるまちおこしが始まり、やがて、何もない地方都市だった宇都宮が「日本一の餃子のまち」としてその名を全国に知られるようになる。

しかし、2011（平成23）年、まさかの事態が発生する。長年守り続けてきた餃子日本一の座を浜松市（静岡県）に奪われたのだ。家計調査の対象外だった浜松市が、2007年に政令指定都市に昇格したために調査が行なわれるようになり、全国1位に躍り出たのである。以後、両市は首位争いを展開し、マスコミからは「餃子戦争」などと騒がれるが、その後の全国1位は浜松市の6回に対し、宇都宮市は3回とやや分が悪い。しかし、両市はそれぞれが独自性を発揮し、良きライバルとして競い合うことで相乗効果を生み出している。また、2019年にはご当地グルメの祭典として知られる『B1グランプリ』において、津市（三重県）の「津ぎょうざ」が優勝するなど、両市以外にも地域色豊かな「ご当地餃子」が、今、全国各地に増えつつあるのは喜ばしい。

81

NAZOTOKI

東北

東北の人が「ズーズー弁」で話すのはなぜ？

ズーズー弁とは東北各地の方言の総称であり、決して一つの言語ではない。県が違えば当然ながら言葉は異なり、さらに、山形県内だけでも村山弁・新庄弁・庄内弁・置賜（おきたま）弁などがあるように同じ県でもひと括りにはできない。しかし、共通点も多い。

まず、ズーズー弁と呼ばれる所以である。東北地方の方言の特色として、〝ツ〟と〝ス〟、〝ジ〟と〝ズ〟、〝チ〟と〝ツ〟の音が同じような発音であることがまず挙げられる。寿司は〝スス〟、チーズは〝ツーズ〟、福島は〝フグスマ〟と発音する。知事・地図・父・乳・土・筒、これらはみんな〝ツズ〟である。語尾が〝ズ〟と聞こえる言葉が多いので、「ズーズー弁」と揶揄されるようになったらしい。

2文字目がカ行やサ行の単語は、その箇所が濁音になるのも特色である。酒が〝サゲ〟、タコとイカが〝タゴとイガ〟、机が〝ツグエ〟大船渡（おおふなと）市（岩手県）では新年に「悪魔払い」の伝統行事を行うが〝アグマンバレェ〟と発音する。

言葉を短くするのも特色である。「どさ?」「ゆさ!」、これは「どこへ行くの?」「風呂だよ」という意味で、青森弁の短い言葉の例としてしばしば紹介されるが、秋田弁にはもっと短い会話がある。それは「け」「く」、たった1音ずつだ。「食べてね」「食べるよ」の意味だ

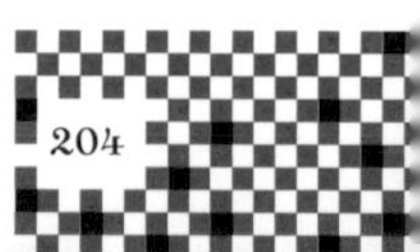

そうだ。青森や秋田には1音で表現される言葉が多い。〝わ（私）〟〝な（あなた）〟〝え（良い）〟〝ね（ない）〟などである。岩手弁は形容詞の「い」を省略する。〝うめ（うまい）〟〝たげ（高い）〟〝いで（痛い）〟などだ。

東北各地の方言にこのように共通する特色があるのは、この地方の人の話し方に原因があると考えられる。それは口を大きく開けず、口の形をほとんど変えないで、短く喋る話し方だ。その理由として、寒さが厳しいのであまり口を動かさずに喋るようになったからだとか、東北の村々は典型的な農村型の小さなコミュニティであり、いつも限られた相手としか会話をしないのでボソボソと短い言葉でも意思疎通ができたのだとかの説がある。ズーズー弁は本来は縄文人の言語だったのが、弥生人の侵攻で東北地方だけに残る方言になったという説もあるが、残念ながら本当のところはわからない。

ズーズー弁に限らず、全国どこでも方言を話す人が少なくなってきている。かつて、明治政府は中央集権国家を築くには言葉も統一する必要があるとして、「下品なる方言や訛りは避くべし」と「方言撲滅運動」なるものを推進した。戦後も長く「なまりや癖のない正しい発音で話すこと」を教育指導要領に記載し、標準語教育が重視されてきた。近年、ようやく「方言と共通語（標準語）の共生」が教育の新しい流れになってきたが、方言も含め、これからの日本は伝統や文化など地域の多様性を尊重する社会であってほしい。

82

NAZOTOKI

東北

東北の人々は、縄文人の血を強く引き継いでいるというのはホントだろうか？

P.168の中で、縄文人の特徴とされるB型の血液型が東日本において分布率が高いことを述べたが、東北6県に限ると概ね23～25％、これは近畿以西の西日本の19～23％よりも数ポイント高く、また、弥生人の特徴であるA型の分布率は、西日本では多くの県が40％の高い比率を示しているのに対し、東北6県は35～37％と対照的な傾向が見られる。しかし、このことをもって東北の人たちは縄文人の血を強く受け継いでいると断じるのは少々早とちりだ。

日本人のルーツを探る近年の研究は、遺伝子情報を総合的に解析する**ゲノム解析**と呼ばれる手法が基本である。そして、縄文人と弥生人には血液型以外にも身体的な違いが数多く見られることが明らかになっている。目鼻立ちがはっきりし、小柄だが筋肉質の縄文人に対し、弥生人はのっぺりした顔で大柄、胴長短足が特徴だ。氷河期のマイナス50℃という極寒のアジア大陸内部をルーツとする弥生人は、厳しい自然に適応するためにこのような身体的特色を持つようになったと思われる。彼らの胴長短足は体表面積を減らし、体温の放射をできるだけ少なくするためであり、また、寒さを防ぐために顔の皮下脂肪が厚くなり、一重のまぶたと細い目になった。白人や黒人には一重まぶたはほとんど存在せず、一重まぶたが多く見られるのは日本・中国・韓国などの北東アジアだけだという。

東京大学の研究グループの報告によると、今の日本人には、弥生系が20％、縄文系が5％、混血が75％の割合で存在するそうだ。21世紀の日本に今なお純粋な縄文系や弥生人系の人々が存在するのは、２０００年もの長きにわたり日本は農耕社会が続いたので、広域的な人々の移動や交流が極めて不活発だったからだと思われる。とりわけ、遠隔の地であり、弥生系の人々の進出が少なかった沖縄と東北地方の人々にもっとも縄文人の血が残っているという。また、北海道で独自の文化を育んだ縄文人の子孫がアイヌであるという説が昔より根強いが、アイヌのルーツを東シベリアに求める説もあり、今後の研究が待たれる。

縄文人の顔　　弥生人の顔

絵・安田満夫

	縄文人（南方系）	弥生人（北方系）
体形	小柄だが、筋肉質の体	大柄で、どっしりした体型
頭の形	長頭（前後に長い）	短頭（丸い）
顔	彫りが深く角張ったソース顔 ・二重まぶたの大きな目 ・太く濃い眉 ・厚い唇 ・大きい耳たぶ	のっぺりしたしょうゆ顔 ・一重まぶたで小さく細い目 ・細く薄い眉 ・薄い唇 ・小さい耳たぶ
髪の毛	波状毛（くせ毛）	直毛
耳垢	ウェット型	ドライ型
血液型	B型、O型が多い	A型が多い

83

NAZOTOKI

東北
「秋田美人」と言うが、秋田県にはホントに美人が多いのだろうか？

秋田・京都・博多の女性を指して「日本三大美人」と呼ぶ。中でも「**秋田美人**」は、その筆頭とされ、秋田は日本一の美人の産地として知られている。

秋田にはなぜ美人が多いのか、様々な説があるが、概ね次のような理由が挙げられている。

その一、雪国で日照時間が短く、紫外線が少ないので、美白の肌になる。

その二、古来より北アジアと交わり、ロシア人の遺伝子を受け継いでいる。

その三、桃山時代末、水戸から移封された佐竹氏が旧領内の美女をみんな秋田に連れてきた。

まず、日照時間説だが、ある化粧品会社が、顧客のデータを元に発表した「ニッポン美肌県グランプリ２０１８」では、秋田県は全国第2位、1位は島根県、3位石川県、4位富山県という結果を見ると、雪国に美白の肌の女性が多いという説はうなずける。ただ、秋田県は今回の2位が過去の最高順位であり、決して秋田県が美肌ナンバーワンという訳ではない。

ロシア人遺伝子説の根拠とされるのは、秋田の人だけに他地域の人たちにはないヨーロッパ人と類似のＤＮＡが検出されるからだそうだ。ただ、ロシア人が太平洋岸まで進出したのは17世紀以降、今ひとつ現実性に欠ける。

美女引き連れ説は、話としてはおもしろいが同様の話は各地に見られる。それより、そも

そも秋田にはホントに美人が多いのか、それを確かめるのが先決だ。どのような女性を美人と言うのか、尺度は主観的なものだが、筆者は次の三つのデータに注目した。

まず、世界の美女たちが美しさを競う「ミスユニバース」だ。１９５２（昭和27）年から開催されているが、今までの日本代表や、入賞してその後モデルや女優として活躍している約１００人のについてその出身地を調べてみた。最多は東京の19人、東北からは青森、宮城、福島の出身者はいたが、予想に反し、秋田県の出身者は１人もいなかった。

ある美容関連の会社が発表した「女性体型メリハリ度ランキング」も興味深い。これはスリーサイズを目安にいわゆる「ボン・キュ・ボン」を女性の理想体型として指数化し、比較したものだが、秋田県は47都道府県中の44位。さらに、だめ押しになるようで秋田の女性には申し分けないが、文科省が実施した女子中高生の肥満度調査の全国１位が秋田県だった。

では、確証があるわけではないのに、なぜ秋田美人と呼ぶのだろうか。明治の終わり頃、秋田には銅などを採掘する多くの鉱山があり、歓楽街には芸者など多くの女性が働いていたが、その頃に秋田を訪れた文人たちが歓楽街の女性を指して「**秋田美人**」と呼んだことが、どうも始まりらしい。秋田が日本一の美女として名高い**小野小町**が生まれた土地ということもあって、以後、秋田美人という言葉が広く定着したようだ。秋田美人とは、ミスコンに出場するようなスリムな美人ではなく、純日本的な色白のポッチャリ型の女性を言うのだろう。なお、秋田県の人口10万人当たりの美容院数は全国第１位、秋田の女性の美意識は高い。

84

NAZOTOKI

北海道
酪農王国北海道の人々が牛乳をあまり飲まないのはなぜ？

北海道179市町村のうち、51市町村では人よりも牛の数が多い。2018年の農林水産省の統計によると、北海道の乳牛飼養頭数は約79万頭で全国シェアは約60％、**牛乳**（生乳）の生産量は約397万トンで全国シェアは約53％、どちらも断トツの日本一であり、北海道は「**酪農王国**」と呼ばれている。ところが、総務省の家計調査によると北海道民の1世帯当たりの牛乳購入金額は年間1万2699円、これは47都道府県中45位、ほとんど最下位に近い。1年間に道民1人当たりが飲む牛乳は1000mlパックで23・5本、これはもっとも消費量が多い奈良県の35・6本の3分2に過ぎない。北海道は酪農王国であるにもかかわらず、道民は牛乳があまり好きではないようだ。

その理由について、寒いので冷たい牛乳が好まれないという説があるが、北海道はP.194でも触れたようにアイスクリームの消費量は全国でも上位であり、この説は納得できない。おそらく次のような理由ではないだろうか。それは、北海道は首都圏や京阪神などの国内の大市場から遠いという地理的な事情だ。道内でも酪農が盛んなのは道東の根釧（こんせん）地方である。しかし、この地方の中心都市である釧路から道庁のある札幌までは約330km、さらに遠方の首都圏や京阪神までとなると輸送には数日が必要だ。乳牛から搾った状態の生乳は、傷みやす

く新鮮なうちに処理・加工をしなければならない。また、滅菌加工後、安全にパック詰めされても、牛乳は品質の劣化が早いので、他の飲料と比べ、消費期限や賞味期限が短く設定されている。そのため、飲用向けの牛乳は、かつては大都市近郊がおもな生産地で、輸送面で不利な北海道の牛乳は飲用には向けられず、**バター**や**チーズ**など乳製品に加工することが多かった。つまり、道民が牛乳をあまり飲まないのは、牛乳が身近な飲み物ではなかったからではないだろうか。その逆に、北海道民のバターやチーズの消費量は全国トップクラスである。

貯蔵技術や交通手段が発達したことにより、近年は飲用牛乳の生産においても北海道は全国一である。しかし、それでも乳製品のシェアが約80％と群を抜くのに対し、飲用牛乳の全国シェアはまだ15％ほどで、北海道民の牛乳消費量も全国的にはまだ低い。牛乳生産量が道内2位の中標津（なかしべつ）町は、最近「牛乳消費拡大条例」を定めた。通称は「牛乳で乾杯条例」、披露宴や歓送迎会などの宴会や会食の最初は牛乳で乾杯しようという取り決めだ。まず、町民がもっと牛乳を飲むようにしようと趣旨で、もちろん全国オンリーワンの条例である。

関連してもう一例紹介。北海道は海産王国でもあり、全国一の海産物は数多いが、その一つに「利尻昆布」や「日高昆布」などのブランドで知られる**昆布**がある。北海道の全国シェアは97％と圧倒的だが、1世帯当たりの昆布の年間購入額は全国44位だ。北海道は豆腐、味噌、醤油などの購入額も全国最下位かそれに近い。これは北海道の新鮮で豊富な食材はそのままでも美味しく、伝統的な和食文化にこだわらない道民の気質が理由かもしれない。

85

NAZOTOKI

北海道

他県の人はよく使うが、北海道の人々があまり使わない意外なものとは？

前項は北海道民の牛乳と昆布の消費量について、予想外の全国順位とその理由を紹介したが、食生活面以外でも北海道には「エッなんで？」と思う意外なランキングのモノがある。例えば冬の定番の暖房器具である**こたつ**である。「こたつの上にみかん、そのそばで丸くなって眠る猫」、これは昭和のノスタルジーを感じさせる日本の冬を象徴する光景だが、気象予報サイト「ウェザーニュース」の調査によると、冬に電気ごたつを使う家庭の割合は、全国平均が48％でほぼ半分、都道府県別では1位が山梨県の75％、以下には福島県、長野県、群馬県、山形県など寒冷地の県が続き、これらの県では70％ほどの家庭がこたつを保有している。ところが、北海道は23％で沖縄県の30％よりも低く全国最下位だ。北海道は電気カーペットやエアコンなどの暖房器具の使用率も全国順位はかなり低い。それでは、厳寒の北海道の家庭では、どのような暖房器具を使っているのだろうか。以前は室外に給排気筒を設置するFFストーブが一般的だったが、最近は石油やガスが熱源の水パネル式の**セントラルヒーティング**が主流だ。北海道の暖房はパワーがあり、住宅全体を暖めるので、こたつや電気カーペットはいらないのである。北海道の冬の室内温度は全国1位の21・5℃、ガンガン暖房を効かせた暖かい部屋でTシャツ一枚で冷たいアイスクリームを食べるのが道民のスタイルだ。

北海道が意外な順位のものをもう一例。それは**バイク**の普及率である。北海道は、夏には全国から多くのライダーが集まる「ツーリングのメッカ」だが、総務省の調査によると北海道のバイク普及率は100世帯当たり5.5台、何と全国最下位だ。爽やかな季節に広大な北海道の大地をツーリングするのは気分も最高だが、北海道は冬が長く、積雪期は路面が凍結してバイクに乗れなくなるので、道民はバイクをあまり保有しない。そのため、北海道では暴走族も他県より少ない。凍結した道路をバイクで突っ走るような自殺行為を道民はしない。

次は納得できるが、**殺虫剤**を北海道民はあまり使わない。道民が殺虫剤・防虫剤に支払う金額は全国最下位の1世帯当たり年間310円、全国平均822円の4割以下だ。理由として冷涼な気候の北海道は害虫が少ないことが考えられる。北海道にはゴキブリを見たことがない子どもが多いそうだ。ハエや蚊もいないわけではないが、他県よりは少ない。

それでは、他県民がほとんど使わず、北海道民がよく使うモノは何だろう。まず、**そり**だ。そりは子どもたちの遊び道具という印象が強いが、北海道では生活必需品だ。雪が積もるとベビーカーが使えなくなり、ママさんたちは子どもをそりに乗せ、買物に出かけるのだ。

大阪では一家に一台たこ焼き器があるとされるが、北海道で一家に一台あると言われているのは**ジンギスカン鍋**である。第一次世界大戦の頃、軍服や軍の毛布の調達のため、北海道では牧羊が奨励され、やがて道民の間に羊肉を食べる習慣が広まった。今ではジンギスカンは道民のソウルフードであり、札幌市民の花見は円山公園の桜の下でジンギスカンが定番だ。

86

NAZOTOKI

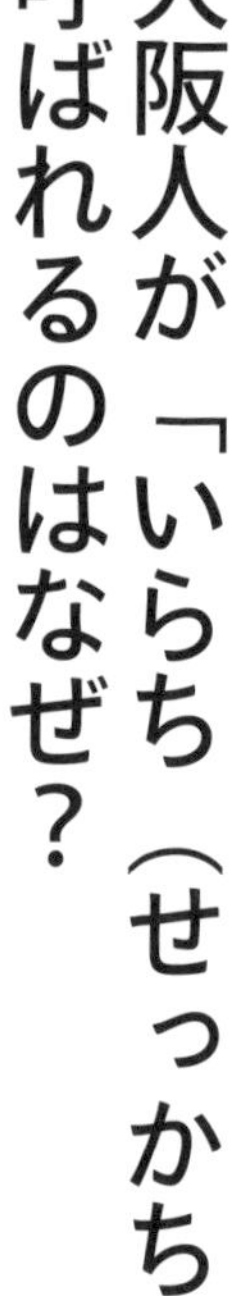

関西 大阪人が「いらち（せっかち）」と呼ばれるのはなぜ？

A 東京都内の発着案内表示

B 大阪市内 JR 駅ホームの発着案内表示

①

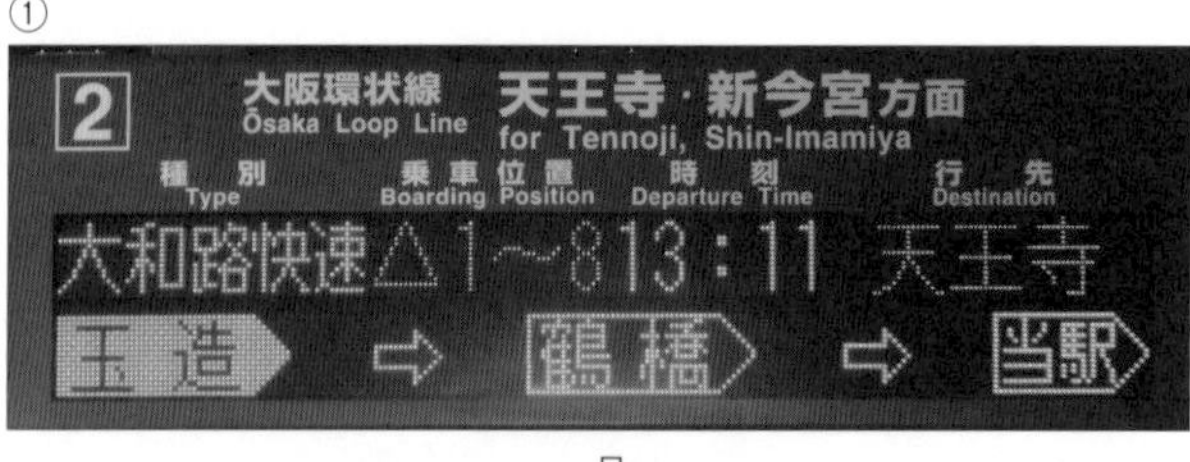

②

③

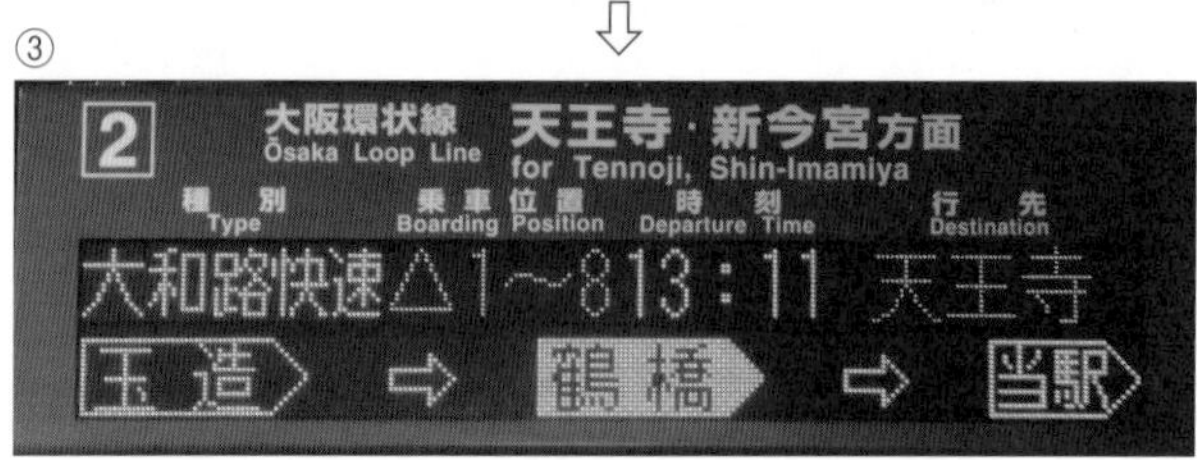

①では玉造駅　②では玉造―鶴橋間　③では鶴橋駅
次の電車が現在どのあたりを走行中なのかわかりやすく表示される。

　大都市圏の駅のホームには、次の列車がいつ来るのかを利用者に知らせる発着案内板が設置されている。その場合、Ａのような表示が一般的だが、大阪市内のＪＲや地下鉄の駅に設置されているのはＢのような表示板だ。Ａでも別段不便ではないはずだが、「表示板を見ただけで次の電車が今どこまで来てるのかすぐわからへんとあかんわ」と考えるせっかちな大阪人には、「次の電車が48分ということは、今は45分ややからエーとつまり??……」といちいち考えるのがまどろっこしいのだ。

　大阪には、信号が青に変わるまでの待ち時間が秒単位で示される上の写真のような信号機もある。赤信号でも一瞬の隙をうかがって道路を渡る歩行者が後を絶たなかったため、待ち時間をカウントダウンで表示するようにしたそうだ。しかし、それでも5秒前くらいにはほとんどの人は渡り始めるという。

　運転手もせっかちだ。国際交通安全学会が行なった見切り発車に関する調査によると、信号待ちで大阪の運転手は青に変わる平均4・92秒には車を発車させるという。2位の東京でも1・84秒であり、大阪の運転手は正面の信号が青になるのを待つのではなく、横の信号機が赤になるのを見て発車するわけだ。

せっかちな大阪人はもちろん歩くのも速いが、興味深いデータがある。ドコモ・ヘルスケア株式会社が、都道府県別の歩行者の早歩き率（歩行総数に対する早歩きの割合）を調べたところ、第1位は神奈川の29・2％で、次いで東京・埼玉・千葉と上位は首都圏の都県が占め、大阪は第5位の26・3％だった。これは何を意味するのか。大阪人のせっかちとは急ぐことではなく、待つことが苦手というか嫌いということなのだ。外食店でどれくらいの時間までなら並んで待てるかという調査でも、東京人の26・3分、名古屋人の26・8分に対し、大阪人は21・7分、男性に限れば19・1分しか待てないというデータもある。

なぜ、大阪人はじっくり待てないのだろうか。商人（あきんど）の町として栄えた大阪ではモタモタと、手際の悪い売買をしていては、店は立ちゆかない。大阪人のせっかちはそんな商人気質（あきんどかたぎ）が由来であるという説がある。大阪人にとっては、まさに「時は金なり」であり、何もせず、ただボーっと待っているだけの時間は無駄な時間なのだ。

しかし、そんな大阪人だからこそ、インスタントラーメンやレトルト食品など調理時間を短縮する商品を次々と編み出した。さらに回転寿司、動く歩道、電子レンジなども、せっかちな大阪人だからこその発想で生まれたものだ。〝せっかち〟は大阪弁では「**いらち**」と言う。

■参考図書・資料（順不同）

総務省統計局『第六十八回 日本統計年鑑 平成31年』日本統計協会 毎日新聞出版
国立天文台『理科年表２０２０』丸善出版
気象庁監修『気象年鑑２０１９年版』一般財団法人気象業務支援センター
藤岡謙二郎『最新地理学辞典』大明堂
地理用語研究会『地理用語集』山川出版社
下中邦彦編『世界大百科事典』平凡社
小学館国語辞典編集部『日本国語大辞典』小学館
谷川彰英『47都道府県地名由来百科』丸善出版
日外アソシエーツ編集部『全国地名駅名よみかた辞典』日外アソシエーツ
高野澄『物語 廃藩置県』新人物往来社
八幡和郎『日本史が面白くなる「地名」の秘密』洋泉社
今吉弘編『鹿児島県の不思議事典』新人物往来社
和田萃『古代大和を歩く』吉川弘文館
浅井建爾『知らなかった！「県境」「境界線」92の不思議』実業之日本社
山野勝『江戸の坂』朝日新聞社
桑原真人・川上淳『北海道の歴史がわかる本』亜璃西社
堀大三編著『樹木学事典』講談社

中島勇喜・岡田穣編著『海岸林との共生』山形大学出版会
樹木医学会『樹木医学の基礎講座』海青社
川村善之『日本の町並み集落１３００』淡交社
宇田川勝司『数字が語る現代日本のウラオモテ』学研新書
佐藤健太郎『ふしぎな国道』講談社現代新書
国税庁課税部酒税課『酒のしおり（平成31年3月）』国税庁
竹内誠監修『徹底比較 江戸と上方』ＰＨＰ研究所
平田陽一郎『ココが違う!・東京 大阪 名古屋』文芸社
橋本五郎監修『新聞社も知りたい日本語の謎』ベスト新書
小田忠市郎『新モノでまなぶ日本地理』地歴社
毎日新聞地方部特報班『「隣り」の研究ー県民性大解剖』毎日新聞社
篠崎晃一『出身地がわかる!・気づかない方言』毎日新聞社
武光誠『県民性の日本地図』文藝新書
楳沢和夫『これならわかる沖縄の歴史』大月書店
野中尚人『自民党政治の終わり』ちくま新書
竹内均『Newton 別冊 日本人のルーツ―血液型・海流で探る』ニュートンプレス
古畑種基『血液型の話』岩波新書
東洋経済編集部『週刊東洋経済』東洋経済新報社
週刊現代編集部『週刊現代』講談社

■参考Ｗｅｂサイト（順不同）

国土地理院／総務省統計局／国土交通省／農林水産省／経済産業省／厚生労働省／環境省／気象庁／消費者庁／全国町村会／日本都市センター／都道府県市町村／日本地図センター／日本政府観光局／日本経済新聞／毎日新聞／産経ニュース／朝日新聞デジタル／YOMIURI ONLINE／琉球新報／NIKKEI STYLE／ＴＢＳ／ウィキペディア／コトバンク／語源由来辞典／マイナビニュース／ウェザーニュース／Rettyグルメニュース／乗りものニュース／流通ニュース／ＮＡＶＥＲまとめ／RakutenInfoseekNews／LivedoorNEWS／ニュースサイトしらべぇ／違いがわかる事典／ニコニコ大百科／社会実情データ図録／都道府県別統計とランキングで見る県民性／Ｊタウンネット／沖縄県ＨＰ／沖縄MAGAZINE／琉球王国沖縄の歴史を学ぼう／O2Ten／九州焼酎島／kadai-info／筑後川河川事務所／四万十市観光協会／広島市ＨＰ／節約社長／神戸の地名／伊丹市ＨＰ／奈良県ＨＰ／奈良市ＨＰ／明日香村ＨＰ／一宮モーニング公式サイト／岐阜市ＨＰ／となみ散村ミュージアム／北陸新幹線で行く，はじめての金沢／軽井沢観光協会／出雲崎町ＨＰ／渡良瀬遊水地／利根川ダム総合管理事務所／荒川上流河川事務所／おもちゃのまちサイト／はまれぽ.com／宇都宮市公式Ｗｅｂサイト／茨城県ＨＰ／山形県ＨＰ／天童市の観光ガイド／北海道ファンマガジン／豊頃町ＨＰ／MILKRAND Hokkaido／KITASUMU.com／雛人形Ｊｐ／畳アラカルト／森林林業学習館／日本海岸林学会／小京都.com／坂学会／独立法人水資源機構／日本文化研究ブログ／これで解決／日本列島の成り立ちと火山活動／全国方言辞典／全日本雑煮大図鑑／リバテープ製薬株式会社／暮らしの情報サイトnanapi／日本ミネラルウォーター協会／サントリー／日本おにぎり協会／一般社団法人Jミルク／docomoHEALTHCARE

■画像提供（掲載順）

・妻入り住宅（新潟県出雲崎町）　出雲崎町
・スカイツリー　東京スカイツリー
・本部半島のカンヒザクラ（沖縄県）　hide0225/PIXTA
・リュウキュウハゼ　akizakura/PIXTA
・世界遺産　三保の松原（静岡県）　mandegan
・日本三景　天橋立（京都府宮津市）　海の京都DMO
・与論島（鹿児島県）　ヨロン島観光協会
・多良間島（沖縄県）　Yamada Udon
・渥美半島の電照菊の夜景（愛知県田原市）　田原市
・ジュエリーアイス　豊頃町観光協会
・千里浜海岸（石川県羽咋市）　羽咋市
・砺波平野の散村風景　砺波正倉（砺波市教育委員会）
・渡良瀬遊水地と谷中湖　1207Blue/PIXTA
・埼玉県鴻巣市付近の荒川　国土交通省　関東地方整備局荒川上流河川事務所

・三社祭の神輿（東京都台東区）　無料写真素材東京デート
・八戸鉱山の露天掘り（青森県八戸市）　K@zuTa/PIXTA
・橋の欄干に将棋の駒　山形県（山形の広報写真ライブラリー）
・ひな人形（関東）株式会社久月
・ひな人形（京都）京都 桂甫作 安藤人形店
・ママさんダンプ　セーブ・インダストリー株式会社
・灰傘　株式会社シューズセレクション

※東京スカイツリー・スカイツリーは、東武鉄道（株）および東武タワースカイツリー（株）の登録商標です。

著者紹介

宇田川 勝司（うだがわ・かつし）

▶1950年大阪府岸和田市生まれ、現在は愛知県犬山市に在住。
関西大学文学部史学科（地理学）卒業。

中学・高校教師を経て、退職後は地理教育コンサルタントとして、東海地区のシニア大学やライフカレッジなどの講師、テレビ番組の監修、執筆活動などを行っている。

おもな著作は『クイズで楽しもう ビックリ！意外 日本地理』（草思社）、『数字が語る現代日本の「ウラ」「オモテ」』『中学生のための特別授業 宇田川勝司先生の地理』（学研教育出版）、『なるほど日本地理』『なるほど世界地理』『日本で1日に起きていることを調べてみた』（ベレ出版）、『中学校地理ワーク＆パズル85』（明治図書出版）、『地理の素』（ネクストパブリッシング『GIS NEXT』に連載）など。

HP「日本地理おもしろゼミナール」http://www.mb.ccnw.ne.jp/chirizemi/

◉── 装幀　坂野 公一（welle design）
◉── 装画　伊藤 ハムスター
◉── 本文デザイン　川原田 良一（ロビンソンファクトリー）
◉── DTP・図版作成　川原田 良一（ロビンソンファクトリー）
◉── 本文イラスト　いげた めぐみ
◉── 校閲　有限会社 蒼史社

謎解き日本列島（なぞときにほんれっとう）

2020年 4月 25日　初版発行

著者	宇田川 勝司（うだがわ かつし）
発行者	内田 真介
発行・発売	ベレ出版 〒162-0832　東京都新宿区岩戸町12 レベッカビル TEL.03-5225-4790 FAX.03-5225-4795 ホームページ　http://www.beret.co.jp/
印刷	モリモト印刷株式会社
製本	根本製本株式会社

ISBN 978-4-86064-614-1 C0025　編集担当　森 岳人